Ce que le p:
cu

Vous dites quelle
difficulté présente un texte sur moi
et non sur le "moi" qu'on
prépublique.

Votre livre est ma seule
ressource contre le déluge d'exactitude
dont les biographes m'inondent - et je
dormirai tranquille lorsque Fraigneau
vos même grouperez les armes blanc
propre à tuer quelques fables.

J'espère que vous trouverez des choses
curieuses dans le sac à malices.

Jean Cocteau

ANDRÉ FRAIGNEAU

COCTEAU
par lui-même

"ÉCRIVAINS DE TOUJOURS"

aux éditions du seuil

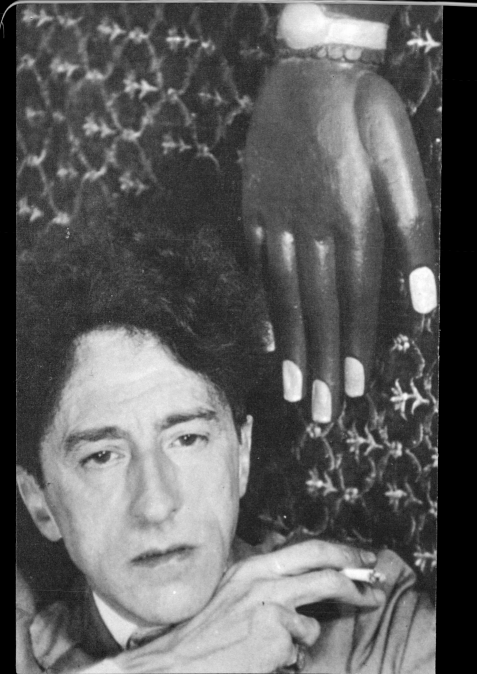

« UN AUTRE NOUS-MÊME »

« Je n'admets qu'une critique des livres : les faire juger par eux-mêmes. Dans une solitude chargée d'interrogations, les laisser durer en nous. Peu à peu, usés par notre vigilance implacable, ceux qui doivent disparaître s'effritent. Mais quelques-uns s'affermissent dont la substance résiste à la fois aux chocs de notre intelligence et aux battements de notre cœur. »

Je retrouve ces lignes (mes premières, je crois, de critique littéraire) écrites à vingt ans pour une revue d'avant-garde : « Les feuilles libres » où j'avais l'honneur de rendre compte du recueil de poèmes de Jean Cocteau *Opéra* récemment paru. A quelques maladresses près (que je remplace aujourd'hui par d'autres, moins excusables) je les récrirais volontiers en 1957. Un autre passage de cet article de 1928, évidemment le date. Il commence par : « Dans une époque *aussi intelligente* que la nôtre, il n'y a plus à redouter qu'excès de finesse. » On s'aperçoit que les temps ont changé ! Mais attention à ce qui suit : « Ces erreurs sont les plus graves. Elles flattent notre amour-propre. Les livres pleins de clins d'yeux, sans être tout à fait « roulé » par eux, je me suis senti longtemps leur complice. J'ai applaudi moi aussi un Jean Cocteau de cirque sans fauves, plein d'amazones et d'équilibristes, et je l'ai décrété étourdiment le plus fort des funambules. Avec *Opéra*, j'ai découvert tout à coup le vrai cirque du poète, celui de Néron, arène de sable où l'on est dévoré. »

5

Cette coulpe que je battais en public prouve qu'il y a près de trente ans le malentendu régnait déjà entre Jean Cocteau et ses admirateurs les plus fervents, sinon les plus attentifs. Quoi de plus naturel alors, qu'un poète soucieux de sa ligne (cette ligne étant le *style de l'âme*) donc un homme soucieux du salut de son âme, se soit expliqué sans cesse et « malgré les triomphes les plus éclatants » ait désespéré de se voir jamais compris ?

Recherche scrupuleuse, désespoir profond, que connaissent les vrais artisans et les esprits religieux. Mais si l'on admet généralement la conscience professionnelle d'un ébéniste, par exemple, ou les angoisses d'un croyant, on taxe de prétention insupportable et de fausse modestie le poète qui ose prendre son œuvre au sérieux et réclamer de ses lecteurs un sérieux analogue. Un poète n'est-il pas un fantaisiste susceptible de nous distraire entre deux travaux importants ? Cependant, si le poète consent à servir une Église, un État, un Parti ; à défaut s'il invente des attitudes spectaculaires, comme de s'installer dans une île ou de courir les déserts, on lui pardonnera sa poésie. Mais qu'il prenne bien garde de toucher à rien sans engagement, compromission, bref sans démission de sa fonction de poète ! L'ennui réside en ceci que le poète est par essence un touche-à-tout, que selon la formule de Cézanne, « on ne saurait lui mettre le grapin dessus » et que la poésie est un « objet difficile à ramasser ».

C'est sans nul doute avec Jean Cocteau que les termes : poète et poésie ont pris leur définition la plus précise. Doué de tous les moyens d'expression, il a réalisé le vœu de Nietzsche qui rêvait que l'on fût « danseur dans la bataille » et que l'on tendît sur le monde un ciel bleu plus terrible que les nuages et les fumées des enchanteurs suspects.

Un Français seul pouvait mener à bien cette lutte de la clarté contre les fausses ténèbres, ce déniaisement de l'esprit de lourdeur par l'esprit de légèreté, cette descente d'Orphée aux Enfers de notre subconscient d'où le vainqueur ramène une créature, belle, nue, *gênante* qui dit s'appeler Eurydice, mais dont le nom splendide et triste est VÉRITÉ.

Je suis un mensonge qui dit toujours la Vérité. Les mensonges du poète sont les fables dont il drape « sa » vérité, non pour la rendre plus voyante ou plus agréable, mais au contraire pour en protéger les angles vifs et l'action secrète.

De toute façon, *la poésie étant l'élégance même ne saurait être visible. Alors, me direz-vous, à quoi sert-elle ? A rien... ? La poésie est une religion sans espoir. Le poète s'y épuise en sachant que le chef-d'œuvre n'est après tout qu'un numéro de chien savant sur une terre peu solide... Peu importe ! Nous ne devons pas nous écarter une seconde d'une tâche d'autant plus abrupte qu'elle n'a pour elle que d'être inévitable, qu'elle nous demeure incompréhensible et ne nous apporte aucune espérance... Ce doit être le passage de nos secrets à la lumière, véritable travail d'archéologue qui nous fait prendre pour des prestidigitateurs.* On peut juger par ces quelques extraits prélevés arbitrairement dans *Le journal d'un inconnu* (et aussi significatifs que les moindres éclats d'une statue grecque) de la hauteur morale, de la solitude, de l'humilité que réclame, selon Jean Cocteau, la vocation de poète. Il faut y ajouter cette « obstinée rigueur » dont parle Léonard de Vinci dans ses carnets, rigueur secrète, bien sûr, et que les œuvres peintes par l'auteur de la « Vierge aux Rochers » dissimulent sous la grâce.

Mais Léonard n'a-t-il pas été victime lui-même de ces dehors souriants ? On l'a taxé, on le taxe encore, d'amateurisme de génie. Ce malentendu qui foudroie tous les vrais créateurs, évite soigneusement les faiseurs de systèmes, les inventeurs de méthodes. Il respecte même leurs œuvres soi-disant originales car celles-ci ne sont que les *illustrations d'une théorie.* Malheur aux esprits qui ont choisi de s'incarner au lieu de s'expliquer ! Car même s'il arrive, comme avec Jean Cocteau, que l'explication suive la création, avec une netteté extraordinaire et un grand soin d'être précis, le procès-verbal d'un coup de foudre ne saurait convaincre personne en dehors de ceux que la création a illuminés et immédiatement convaincus.

Chez Jean Cocteau, la création poétique est constante, donc le malentendu est perpétuellement présent. Ses multiples pouvoirs d'expression lui permettent à la fois d'échapper à la monotonie et de *risquer* à tout moment.

La mission véritable du poète ne l'oblige-t-elle pas à déranger les jeux, à fourrer son nez partout, à s'occuper de ce qui ne le regarde pas ? A seule fin de nous rendre sensibles une certaine dimension du monde, une réalité sous-jacente au réel quotidien, plus profonde que lui, plus terrible, mais plus consolatrice aussi, parce qu'elle est faite de Beauté à l'état pur. Cette extrême agilité déconcerte les esprits routiniers épris de classification. Et comment admettre l'excellence dans tous les domaines ? Jean Cocteau dessine aussi bien qu'il écrit. Il parle comme un livre (de lui). Il a joué et mis des pièces en scène. Il a touché au cinéma et a créé des films archétypes que les cinéastes de métier plagient chaque jour. Il peint comme un peintre ; grave comme un graveur. Son œuvre la plus récente est la décoration de la chapelle de Villefranche. Où est le vrai Cocteau dans tout cela ? disent certains juges. D'autres soupirent : quelle dispersion inutile ! Et les mieux disposés se trompent encore en affirmant que « ses dons trop riches et contradictoires l'empêchent de se concentrer ».

Or cette multiplicité de dons a permis au contraire à l'auteur d'*Opéra* de se tenir constamment au service de sa ligne interne, cette ligne qui « unit fond et forme et se débande dès que l'âme baisse son feu. »

Dans le domaine des découvertes extérieures on trouve normal qu'un archéologue se fasse aviateur pour survoler son champ de fouilles ; un peu plus tard terrassier pour attaquer le sol au bon endroit ; plus tard encore mineur pour descendre vers le trésor caché. On ne dit jamais que cet archéologue se disperse !

Pour Jean Cocteau, le travail de l'artiste ressemble à celui de l'archéologue. *Tout homme est une nuit, (abrite une nuit), le travail de l'artiste est de mettre cette nuit en plein jour.* Cette volonté de porter la clarté au cœur des ténèbres intérieures montre combien par instinct autant que par décision de l'esprit, Jean Cocteau est apollinien et classique. L'attitude romantique, l'ivresse dionysiaque, lui sont étrangères. Désirer des orages (Chateaubriand), rajouter un peu d'obscurité (Mallarmé), bref collaborer à la confusion nocturne, ou s'en délecter passivement, n'est pas dans son génie.

C'est pourquoi l'œuvre de cet homme qui pourtant professe *la poésie comme une religion sans espoir* est-elle une perpétuelle incitation à l'énergie.

Si, à cette énergie présente dans chaque ligne écrite ou dessinée, on ajoute le sentiment constant de la grandeur (grandeur antidéclamatoire, et comme viscérale), rien ne paraîtra plus justifié que la fidélité de la jeunesse à l'œuvre et à la personne de Jean Cocteau.

La jeunesse a bien des défauts. Elle peut, — elle doit être sensible aux modes les plus extrêmes, subir des entraînements superficiels, dénigrer à l'aveuglette, applaudir à contretemps. Peu importe. Elle est toujours prête à recevoir les leçons les plus hautes, à modérer son tapage, à devenir toute oreille si on lui parle « sur un certain ton ». Elle est conquise si celui qui lui parle « ressemble à ce qu'il dit ». C'est elle, bien plus que les « gens d'expérience » qui décèle la *note continue, imperceptible à l'oreille ou à l'œil que fait la ligne d'un artiste.* C'est elle qui sait que *cette ligne relève du regard, du timbre de voix, du geste, de la démarche, d'un ensemble qui compose la personnalité physique.*

Je ne crois pas qu'en trente ans de suprématie littéraire l'auteur du *Rappel à l'ordre* ait déçu un seul des innombrables lecteurs qui après avoir, *très jeunes et très seuls,* aimé ses livres dans les plus lointaines provinces de France ou à l'étranger, se sont trouvés en présence de sa personne. Aucun d'entre eux n'a ressenti une solution de continuité entre « l'ami écrit » et l'homme vivant.

Trente ans d'amitié sans nuages, d'admiration sans éclipses, n'ont pas atténué en moi le souvenir de ma première rencontre avec Jean Cocteau.

En 1926, le poète de *Plain chant* avait déjà :
... Pour tromper du temps la mal sonnante horloge
Chanté de vingt façons.
Ces « façons » aussi inimitables qu'entraînantes renouvelaient tout : poésie, roman, essai, théâtre. Elles passionnaient ce qu'il est convenu d'appeler « l'élite mondiale » et qui en était une, effectivement, en ces temps moins troublés que le nôtre, par la publicité de choc, l'information abusive, et le nivellement de toutes les valeurs au degré le plus médiocre. Mais surtout les livres de Cocteau aidaient la jeunesse à voir plus clair en elle et autour d'elle ; nos dix-huit ans percevaient fort bien que le goût de briller ne prédominait pas chez notre auteur favori le souci d'être exemplaire. J'avais aimé que le *Grand écart* racontât une crise de l'adolescence douloureuse et personnelle avec le détachement d'une chronique de fait divers ; que *Thomas l'imposteur* fît bénéficier la guerre de 14 toute proche du recul de la légende ; que les *Visites à Maurice Barrès* m'apprissent (à moi si fervent barrésien !) l'impertinence respectueuse et le *Secret professionnel* les directives de mon métier d'écrivain. Mais il fallut la parution de la *Lettre à Maritain* pour éclairer tout à fait la figure du prince de notre

jeunesse. Nous ne l'imaginions pas si humaine, si accessible à la douleur, si ingénue et pathétique dans son appel vers Dieu. La légende s'écroulait d'un Jean Cocteau de music-hall, joueur de jazz au Bœuf sur le Toit, funambule et batteur d'estrade. Légende qui ne nous avait guère gênés d'ailleurs pour l'admirer en tant que créateur d'œuvre d'art, mais qui nous avait empêchés de le considérer comme ce « nous-même plus vieux, capable aux jours d'abattement de nous jeter un Dieu dans les bras » (Barrès). Je reconnais bien volontiers aujourd'hui que tout poème de Cocteau est aussi « grave » que cette fameuse « lettre ». A mes dix-huit ans elle parut plus explicite.

Je me décidai (ou plutôt la lettre à Maritain me décida) à demander un rendez-vous à son auteur. Les jeunes gens ne doutent de rien et ce fut sans aucun étonnement que je reçus un mot m'invitant à passer tel soir, après le dîner, 10, rue d'Anjou. N'était-il pas naturel que le « compagnon écrit » de mes soirées solitaires, élu, reçu par moi dans ma chambre d'étudiant (en province ou à l'étranger) me reçût chez lui à son tour ? Dans l'Académie secrète que j'avais fondée pour mon usage et qu'un seul fauteuil décorait, celui-ci était vide depuis la mort de Barrès. Cocteau, candidat pressenti allait donc (sur ma demande et non sur la sienne !) subir mon regard d'examinateur. Quelle revanche pour un étudiant de changer de rôle ! Déjà au temps du lycée, je m'étais vengé de mes affres d'apprenti bachelier en rendant visite boulevard Maillot à l'auteur du « Culte du Moi ». Et cette visite d'adolescent trop intimidé pour en dresser moi-même le procès-verbal, je l'avais retrouvée fidèlement et magistralement décrite par Cocteau, dans la *Noce massacrée* quelques années plus tard [1].

La rue d'Anjou est voisine de la rue Vignon où j'habitais alors dans ma famille. (Curieusement, le même immeuble de la rue Vignon devait abriter Cocteau peu après que j'en fusse parti.) Je savais, en me rendant à pied chez le poète, que celui-ci vivait chez sa mère, comme moi chez la mienne, ce qui rapprochant nos façons de vivre, me « désintimidait ». Pourtant la tradition orale (plus respectueuse que les journaux à gros tirage d'aujourd'hui) m'avait informé que l'escalier dont j'allais gravir les marches s'était illustré de la

---

1. Aujourd'hui, ces visites à Maurice Barrès qui annoncent le ton de « Portraits souvenir » sont publiées dans « Le Rappel à l'ordre ».

montée asthmatique de Proust, du pas ferré de Péguy, de l'ascension myope du jeune Radiguet. Ayant pris la suite de ces visiteurs, je sonnais au palier d'arrivée, perdu de trac. Un vieux valet de chambre m'ouvrit, me fit traverser le vestibule, me conduisit à la chambre de Jean Cocteau et m'y laissa seul. Je la regardai de tous mes yeux. Je fus frappé non d'étrangeté mais de cette fausse reconnaissance dont parle Bergson. Cette chambre n'était-elle pas la mienne ou celle des camarades chez qui j'avais à la fois préparé des examens et lu les livres de Jean Cocteau ? Le poète qui allait entrer était donc bien, avant tout, l'un d'entre nous, *un autre nous-même.* Je recensai : un étroit lit de cuivre, une grande table d'architecte en bois blanc, des fauteuils cannés, une bibliothèque-armoire, de grands cartonniers gonflés de dessins. Sur les murs, tenus par des punaises, des dessins, des photographies montaient jusqu'au plafond. De celui-ci, en guise de lustre pendait un grand cavalier de raphia. Sur la cheminée, un dé de papier, trois polyèdres de cristal dans une soucoupe remplie d'eau, quelques boîtes servant de cadre à des objets découpés dans le drap ou le carton. J'étais loin du bureau solennel de Barrès où rien n'avait pu me faire soupçonner la *permanence active de l'enfance.* Une autre porte s'ouvrit, Cocteau entra. En dépit des multiples photos ou portraits, je ne l'imaginais pas si mince ni si jeune. Et sa voix que le disque, le film et la radio n'avaient pas encore diffusée me frappa par la netteté de son timbre, sorte de trompette affirmative et sthénique. Cocteau me fit asseoir, mais resta debout. Et se promenant à travers la pièce, commença ce monologue dont je ne devais jamais me lasser car il représente le sommet de la politesse et du respect d'autrui. De quoi s'agissait-il en effet ? De donner l'impression au nouvel invité qu'il était là chez lui, que les rêves ou les travaux du poète célèbre étaient les siens. C'était ennoblir le jeune visiteur en le faisant participer aux grands jeux de l'art et de la pensée. Je fus immédiatement touché au plus profond de moi-même par cette façon de *tout prêter à ma jeunesse pour l'obliger à devenir riche.* Peu à peu, la chambre qui m'avait paru de prime abord semblable à la mienne, livrait son luxe de caverne d'Ali Baba. Le moindre dessin cloué au mur était d'un des maîtres que Cocteau nous avait appris à aimer : Picasso, Marie Laurencin, Jean Hugo ou du poète lui-même. Ce petit morceau de drap noir collé au fond d'une boîte était le profil en ombre chinoise d'Isadora Duncan. Le dé en papier avait été peint par Picasso. Une boule de cristal venait d'un palais de Pékin où tenue dans la gueule d'un dragon sculpté, elle avait figuré le ciel. Le cavalier de paille avait été rapporté du Mexique par Darius Milhaud. Cocteau me dénombra ces merveilles, parla de ses amis, de ses projets, me faisant entrer dans la danse. J'étais à la fois ébloui et parfaitement à mon aise. Se souvenant que j'avais parlé, dans ma lettre, de Barrès, mon hôte imita celui dont il venait d'emblée de prendre la place au fauteuil unique de mon Académie personnelle. Aussitôt, Barrès fut dans la pièce avec son accent inoubliable de lorrain enchiffrené. Devant ce prodige d'évocation, je suppliai Cocteau d'imiter d'autres personnes jamais entendues, assuré de faire ainsi leur connaissance. Je connus successivement la voix capitonnée de Marcel Proust, la flûte d'argent d'Anna de Noailles, le chuintement confidentiel d'Erik Satie.

Insatiable, après la séance de « portraits-parlés » je réclamai des portraits dessinés. Cocteau ouvrit des cartonniers et je m'aperçus que son graphisme était de même encre que ses livres et que l'un comme les autres « relevant du regard, du timbre de voix, du geste, de la démarche de sa personne physique, composaient une seule ligne vivant sur chaque point de son parcours ». Mis en confiance sans doute par ma qualité d'attention, Jean Cocteau me parla alors du recueil de poèmes qu'il préparait (le futur *Opéra*) et des recherches plastiques qui s'imposaient à lui en marge de ce livre. Il me désigna posé sur la bibliothèque, un objet singulier en fil de laiton, sorte d'écorché-cage, où sa ligne de dessinateur libérée du papier, traçait dans l'espace quelque chose d'intermédiaire entre le dessin et la sculpture. (Ce personnage devait jouer un rôle dans le film *Le sang du poète*.) Cet essai de volatilisation de la sculpture s'accompagnait de bien d'autres tentatives. Toutes, copiées, adultérées, alourdies par des imitateurs ingrats ont depuis trente ans peuplé les musées d'Europe et d'Amérique.

Quand je pris enfin congé de l'enchanteur (lequel ne manifestait aucun agacement ni fatigue) je m'aperçus que la visite avait dépassé toutes les bornes permises. Au-dessus du fronton de la Madeleine le ciel nocturne commençait à rosir.

L'écorché-cage, vu par Man Ray

Premiers essais pour la chapelle de Villefranche

Si je me suis appliqué avec tant de minutie à décrire ma première rencontre avec Jean Cocteau, ce n'est pas par vanité personnelle. L'accueil ennoblissant que le poète me réserva, des centaines de jeunes gens l'ont connu avant et après moi. Tous pourraient témoigner de la générosité intarissable, de la simplicité, de la vigilance, de l'affection d'un homme dont l'existence quotidienne fait partie de l'œuvre. Ils s'inscriraient aussi contre la légende qui veut que Jean Cocteau soit le plus mondain des auteurs, dînant en ville et courant partout se faire applaudir. Pendant vingt ans ce travailleur acharné, ravagé de douleurs nerveuses et d'opium employé à seule fin de calmer ces douleurs, n'est pratiquement pas sorti de ses chambres de la rue d'Anjou, de la rue Vignon, de la place de la Madeleine. Il est juste d'ajouter que si le poète n'allait plus dans le monde (dont sa prime jeunesse avait aimé, comme celle de Proust, l'éclat frivole) ce monde représenté par d'excellents ambassadeurs défilait chez lui. Ce n'est que depuis la deuxième après-guerre que l'on a pu voir Cocteau présidant des jurys, parlant en public, parcourant les deux continents. Sa gentillesse qui ne sait rien refuser et surtout le sentiment profond d'une mission représentative à remplir, expliquent ce récent exotérisme. Ainsi

de l'habitude évite-t-il l'éloge
Et les nobles glaçons.

En demeurant confiné chez lui, l'alchimiste d'*Opéra* eût bénéficié d'une étiquette tardive octroyée par une génération routinière qui ne se doute pas que la chambre en liège de Proust, la salle à manger de Mallarmé, le Harrar de Rimbaud, l'hôpital de Verlaine, sont devenus les lieux communs de l'audace. Mais incapable de se tenir à un point mort, de bénéficier d'une attitude lorsque celle-ci n'alimente plus son feu, on a vu Jean Cocteau quitter sa chambre pour faire son *premier tour du monde*, accompagner une troupe d'acteurs dans le proche-Orient *(Maalesch)*, s'envoler vers New York *(Lettre aux Américains)*. La plus récente manifestation de cette carrière « publique » a eu lieu en 1956 au moment de l'entrée du poète à l'Académie Française. Beaucoup de personnes plus ou moins naïves s'en sont chagrinées, qui n'ont pas compris qu'en un temps de nivellement, de familiarité veule, de méconnaissance des valeurs, l'auteur du *Rappel à l'ordre* s'est fait un devoir de restaurer le goût du cérémonial et de maintenir ce qu'il est devenu trop facile de détruire.

Peut-être risquerai-je moi-même d'être mal entendu par ceux qui liront ces lignes (et par celui qu'elles concernent) si j'affirme à ce moment de mon étude que Jean Cocteau m'apparaît comme le seul créateur qui ait donné au mot « réactionnaire » tout son sens. Ce mot qui fait peur à la gauche comme à la droite, donc « maudit », on l'a détourné de sa vraie signification. Il définit un état de l'être physique et moral qui est celui des vrais novateurs, puisque ces derniers réagissent contre tout entraînement organisé, tout automatisme, et que, refusant de dériver, ils maintiennent la seule tradition respectable composée de moments intenses de révolte pure.

Nous allons tâcher de justifier l'emploi d'un terme si décrié et si noble en étudiant l'une après l'autre et dans leur ordre chronologique, les œuvres principales de Jean Cocteau.

« LE FIL A PLOMB
COMME MOYEN DE LOCOMOTION »

Le Potomak commencé en 1913, repris et publié en 1919, représente la première et peut-être la plus violente « réaction », non seulement contre la littérature à la mode d'avant la guerre de 1914-18, mais contre son auteur lui-même.

Qui était Jean Cocteau avant ce livre que l'on peut considérer comme une nouvelle naissance ? Un jeune fils de bourgeois prodigieusement doué par toutes les muses, parisien de naissance et de goût, né à Maisons-Laffitte le 5 juillet 1889 d'une famille d'agents de change et d'amiraux, où la musique est à l'honneur et la vocation artistique de certains rejetons considérée comme flatteuse. Jean Cocteau a raconté lui-même avec une grâce incomparable dans *Portraits souvenir* ses premières années d'enfance à Maisons-Laffitte, les réceptions musicales chez ses grands-parents, puis l'émerveillement des matinées parisiennes du Cirque, au Palais de Glace, plus tard à l'Eldorado où il applaudit Mistinguett, à la Comédie Française où Mounet-Sully l'oriente vers la tragédie grecque, au théâtre Sarah-Bernhardt où les « monstres sacrés », Sarah et de Max, l'éblouissent avant de lui jouer le mauvais tour de le traiter en adolescent prodige et de faire applaudir par le Tout-Paris ses premiers vers. A seize ans, loué par Laurent Tailhade et Catulle Mendès, reçu partout et partout fêté pour sa conversation éblouissante, son charme vif de jeune page, portraituré par Jacques Émile Blanche, Madrazo, tous les peintres mondains d'alors, Jean Cocteau publie

Jean

Sarah

son premier recueil de poèmes : *La lampe d'Aladin* bientôt suivi sous la couverture du Mercure de France (dessinée par Jarry) du *Prince frivole* et de la *Danse de Sophocle*. Ces livres, quand on les rouvre aujourd'hui apparaissent comme des catalogues d'influences. C'est ce qui devait rassurer le très jeune auteur, désireux comme tous les adolescents, de ressembler par les tics aux grandes personnes qu'il admirait

M. de Max a l'honneur de vous informer qu'il sera donné, sur son initiative, le Samedi 4 Avril 1908, en matinée à 3h. 1/2, au Théâtre Femina, 90, Avenue des Champs-Elysées, une Conférence par Laurent Tailhade sur les poésies d'un tout jeune poète de 18 ans, Jean Cocteau.

Auditions de:

Mmes Bréval, de l'Opéra,
Segond-Weber, Provôst,
de la Comédie Française,
Ventura, Laurent Tailhade, etc.
Mrs Rolland, de l'Odéon, René Rocher
et M. de Max.

Fauteuils à 4 et 3 francs
Loges à 4 francs.

———

Location à Femina.

et prenait facilement pour des personnes grandes. *Trop de milieux divers nuisent au sensible qui s'adapte. Il était une fois un caméléon. Son maître pour lui tenir chaud le déposa sur un plaid écossais bariolé. Le caméléon mourut de fatigue. (Le Potomak).*

Ces exercices n'eussent présenté aucun danger, écrits par tout autre. Mais on les lut dans le plus brillant des milieux parisiens d'alors où le jeune poète était déjà célèbre. A cette époque on peut imaginer que la personne de Jean Cocteau était fort en avance sur sa création (le vieux Léautaud si difficile, me confiait en 1953 que les visites de l'auteur du *Prince frivole* au Mercure étaient d'inoubliables feux d'artifice.) Déjà Anna de Noailles, Jules Lemaître, Marcel Proust le prônaient. Barrès lui consacrait le fameux article qui suffisait à « lancer » un nouvel écrivain. Une carrière s'ouvrait, étincelante et un peu molle, à l'image de ce monde (d'ailleurs exquis) de 1910-14 que la dernière grande guerre allait balayer sans retour.

A dix-neuf ans, les uns me fêtèrent par sottise, ma jeunesse plaida auprès des autres. Je devins ridicule, gaspilleur, bavard ; prenant mon gaspillage et mon bavardage pour de l'éloquence et de la prodigalité.

Ainsi engagé et triomphant dans la foire aux vanités, qui ne se fût perdu ? Celui-là seul que son génie protège et conduit malgré lui vers ce lieu de la révélation, où sa mèche prête doit prendre feu. Pour Jean Cocteau, ce lieu n'eut rien de farouche. Ce fut la salle endiamantée où les ballets Russes de Serge de Diaguilev, après avoir subjugué l'élite occidentale par le luxe orgiaque de Sheherazade, du Pavillon d'Armide et autres « bourbiers de grâces » révoltèrent cette élite en lui présentant un ballet d'Igor Stravinsky : « Le sacre du printemps ». Jean Cocteau familier de la troupe russe (pour laquelle il avait écrit l'argument d'un ballet aimable *Le dieu bleu* dont la musique était de Raynaldo Hahn et dessiné de brillantes affiches), comprit la grave leçon de ce que le Tout-Paris d'alors considéra comme un échec.

La troupe russe m'apprit à mépriser tout ce qu'elle remuait en l'air. Ce phœnix enseigne qu'il faut se brûler vif pour renaître ; ces jeux du cirque rejoignent les catacombes. Il y a des circonstances où il est brave de se vouer à un culte encore suspect alors que d'autres cultes vous offrent une exploitation de tout repos.

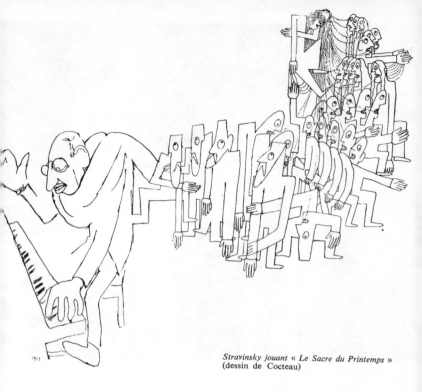

Stravinsky jouant « Le Sacre du Printemps »
(dessin de Cocteau)

Voici résumé en quelques phrases où déjà le génie lapidaire de notre poète s'incarne, le constat de la première crise « réactionnaire » de Jean Cocteau. Rejetant la lampe d'Aladin aux sortilèges trop faciles, le futur auteur du *Potomak* allume à la torche sauvage de Stravinsky, une humble lampe de mineur, pour *s'enfoncer avec soi-même vers le diamant, vers le grisou.* Pour mener à bien son exploration en profondeur, Jean Cocteau rompit avec tout ce qui le maintenait et l'entraînait en surface (nager à contre-courant eût été moins catégorique). Il s'enferma à Maisons-Laffitte, puis à Offranville chez Jacques Émile Blanche, puis à Leysin auprès d'Igor Stravinsky. Dans ces solitudes, l'esprit du poète courait un risque nouveau. Celui que sa méditation devînt circulaire et ronronnante, sans gagner autre chose qu'une élévation de ton. Mais la grande découverte de Jean Cocteau

Chez Charles de Noailles

composant le Potomak fut que le mystère est *perpendiculaire au discours*. D'où nécessité que jamais une ligne à l'autre ne s'accouple, et que loin de conduire la phrase *l'idée naisse d'elle comme le rêve dévie selon les poses d'un dormeur qui se retourne* ; sévère discipline pour un écrivain français déjà rompu, en dépit de sa jeunesse, aux enchaînements déductifs. Le résultat fut ce *Potomak*, singulier chef-d'œuvre stratifié, où les épaisseurs graphiques et littéraires sont posées l'une sur l'autre, sans commentaires entre elles. On les visite en compagnie de l'auteur en empruntant *le fil à plomb comme moyen de locomotion* c'est-à-dire que l'on descend dans ce livre, qu'il vous envoûte, qu'il vous communique une sorte de vertige et surtout qu'il vous convainc par une puissance d'affirmation qui est celle même de la poésie.

J'ai parlé d'épaisseurs graphiques et littéraires. *Le Potomak*, en effet, se présente comme un recueil de dessins, de poèmes

et de proses parfois dialoguées. On sait que Jean Cocteau
peut s'exprimer par le trait aussi magistralement que par
les mots. Un dessin de lui ne ressemble à aucun autre.
Bien des peintres de métier se sont inspirés de sa manière
sans parvenir à ravir un secret qui est de l'âme, mais aussi
de la main et de l'œil. Suivant qu'il dirige cette arme vers
le monde extérieur ou l'univers interne, le poète capte toujours
une vérité. Ses portraits de contemporains, même faits de
souvenirs, (Anna de Noailles, Catulle Mendès, Rostand, etc...)
sont d'une ressemblance aiguë et ironique pour laquelle le
mot caricature serait inexact. Ils ont de la drôlerie, mais
la méchanceté en est absente ; de l'élégance mais aucune
mièvrerie. Ils ont la poésie de la précision. La suite des

« Eugène » qui occupe le tiers du *Potomak* poursuit une aventure abstraite avec les moyens réservés d'habitude à la notation sur le vif. D'où l'ambiguïté du résultat et son étonnant pouvoir d'envoûtement. Avec les « Eugène » et leurs compagnes : les « Humeuses », l'angoisse, le vague à l'âme, l'appréhension d'un devenir tragique (le *Potomak* précède d'un an la guerre de 14) se peuplent de créatures qui leur donnent corps. Je connais peu de recueils, même chez les maîtres du fantastique, où la terreur soit ainsi formulée. On sent au premier coup d'œil (et aussi à la réflexion) que ces monstres graphiques ont été dictés au poète par les mêmes *parlementaires de l'inconnu* qui après les Eugène et les Humeuses contraignaient le poète à inventer le *monstre écrit* qu'est le *Potomak*. On l'expose dans une cave place de la Madeleine. L'auteur y descend en compagnie de personnages allégoriques : Persicaire, Argémone (qui portent des noms découverts sur de vieux bocaux dans une pharmacie normande). On n'analyse pas plus cette Descente aux Enfers qui tient du roman noir, du dialogue philosophique, de la confession lyrique, que nous n'analyserons plus tard *La fin du Potomak* parue en 1939 à la veille de la seconde guerre mondiale, ou les mirages du film *Orphée*. Il vaut mieux laisser parler l'auteur lui-même : *Persicaire, dans ce livre un soprano se*

ESPRIT D'ENTENTE

brise, un animal sort de sa peau, quelqu'un meurt et quelqu'un s'éveille. J'ai cru que j'allais mourir. J'avais mis toute ma fortune en viager ; maintenant je n'ai plus le sou ; mon faste m'épouvante... Les Eugène, ils sont terribles, Persicaire — ils sont indispensables ; ils exécutent les mues.

Avec *Le Potomak*, le poète a mué douloureusement et magistralement. Il ressemble à ce moment capital où le jeune Thésée remonte du Labyrinthe après avoir, sinon vaincu le Minotaure, tout au moins *pris l'énigme à bras le corps.*

L'intelligence, pour lui, a cessé d'être un article de luxe pour devenir un instrument de première nécessité, pareil à la hachette des explorateurs de forêt vierge.

Grâce à l'expérience du *Potomak*, le poète est devenu « quelque chose de tout à fait machine, de tout à fait antenne, de tout à fait morse. Un stradivarius, des baromètres, un diapason, un bureau central des phénomènes» bref un *instrument* capable de percevoir et de traduire les appels du réel profond, que l'habitude et l'automatisme du réel apparent couvrent de lieux communs et de formules toutes faites. La guerre de 1914 fait voler en éclats la civilisation occidentale et ramène le monde à l'âge des cavernes. Le cataclysme semble devoir épargner le futur auteur de *Thomas l'imposteur* qui veut s'engager et se voit refuser par les conseils de révision. Il organise alors avec quelques amis un convoi d'ambulances civiles, qui lui permet de gagner le front et de surprendre les horreurs de la guerre avec le regard de Fabrice-Stendhal à Waterloo. Ces impressions extérieures apparaissent au poète comme la preuve de la vie de cauchemar, pressentie lors de sa crise personnelle de 1913. Mais affronté à la tragédie présente, son esprit réagit de façon toute contraire qu'en ce temps de paix dont il lui avait fallu percer la surface aisée et brillante pour descendre *vers le grisou.* Au cœur de l'explosion, il enregistre ce qui échappera aux écrivains de guerre : la féerie des paysages machinée par les hommes (Dixmude, rivages de la mer du Nord) et ce fluide amical qui réunit, d'un bout à l'autre du front, tant d'êtres courbés sous le même destin. Le paysage servira de toile de fond aux aventures du futur *Thomas l'imposteur.* L'amitié et la mort seront les grands thèmes du *Discours du grand sommeil* (écrit en 1916 et publié seulement en 1925). Ce recueil de poèmes se déclare : *Traduit de quoi ? De cette langue morte, de ce pays mort où mes amis sont morts.*

Les amis morts sont les fusiliers-marins auprès de qui Jean Cocteau s'était caché quelque temps pour vivre de l'existence de soldat que les autorités militaires lui refusaient. Découvert « illégal », des gendarmes et une voiture présidentielle, où se trouvait Louis Gillet, arrachèrent le poète à une mort certaine. Le lendemain de son départ en effet, tous ses camarades devaient être massacrés au cours d'un assaut.

Les strophes de l'*Adieu aux fusiliers-marins*, ont la tendre légèreté des « Calligrammes » d'Apollinaire, mais les autres poèmes du *Discours*, surtout le *Discours* lui-même, surprennent par une densité qui les apparente à des blocs de quartz où l'eau solidifie une forme dont un angle seul apparaît. Une densité et aussi une qualité singulière de silence, évidemment inspiré par le mutisme des tranchées de première ligne :

> *Car ici le silence est fait*
> *avec tout, de la glaise, du plâtre*
> *du ciment, des branchages secs, de la tôle*
> *des planches, du sable, de l'osier*
> *du tabac, de l'ennui,*
> *des jeux de cartes.*
> *Silence de stéréoscope*
> *de musée grévin, de boule*
> *en verre où il neige, de chloroforme*
> *d'aérostat.*

On s'aperçoit par cet exemple que l'effet hypnotique est obtenu sans adjectifs ni verbes, ni explication. La seule nomenclature d'objets proches ou lointains, observés dans une sorte de fièvre extralucide, nous communique la transe poétique éprouvée par l'auteur. Rien de plus économe, de moins romantique. Rien de plus fidèle à l'esprit du modèle : cette guerre menée en silence, avec ses combattants enterrés vifs, son héroïsme sans panache, son sommeil imité de la mort. Dans cette stupeur généralisée, le poète, seul, veille, et témoigne en faveur de la vie. Il est comme le télégraphiste demeuré à son poste dans le Titanic qui sombre. Un ange lui transmet les messages de l'inconnu. Le grand sommeil des tranchées continue la claustration personnelle du temps du *Potomak*.

Tu vas connaître la solitude, dit l'ange et plus loin donne ce conseil d'humilité :

> L'époque
> Ne nous appartient pas plus
> qu'une bourse qu'on trouve
> et qu'on rapporte
> au commissariat de police
> Elle appartient à l'avenir
> et peu
> la lui rapporteront intacte.

L'obéissance à son ange donne à Jean Cocteau le moyen de fixer l'époque de guerre dans sa métamorphose la plus assurée de durer. Elle devait le conduire, une fois. revenu à l'arrière bien malgré lui, à explorer une autre zone de silence et de sommeil, toujours voisine de la mort. Celle où l'avion de Roland Garros, son ami fraternel l'entraîna, s'élançant chaque jour de Villacoublay, pour des essais d'acrobatie aérienne. *Le cap de Bonne-Espérance* est la première œuvre poétique inspirée directement dans son rythme et ses images par l'aviation :

> Garros nos vols
> Je croyais que nous tombions
> et c'était ta signature
> un fil de ciel coupe
> une motte de cœur en deux
> infiniment
> et on déplonge.

Bien sûr, il ne s'agit pas pour le poète de « reproduire » un exploit, ni de risquer un pléonasme en répétant par des mots les actes de l'aviateur de métier. Garros lui enseigne une technique utilisable pour l'exploration de son ciel intérieur. Dédiant son poème à Garros prisonnier en Allemagne, Cocteau précise :

> Je t'emporte à mon tour
> aviateur de l'encre
> moi
> et voici mes loopings
> et mes records d'altitude.

En somme, il trouve dans l'aventure aérienne non une surprise sensorielle vite dépassée, mais une « confirmation » de l'éthique et l'esthétique adoptées depuis le Potomak.

> Salut
> J'écarte l'éloquence

La voile creuse
et la voile grosse
qui font dévier le vaisseau

Éthique et esthétique qui se résument une fois de plus à ne rien prévoir, à transformer l'intelligence en instinct, je veux dire en antenne susceptible de recevoir dans l'humilité et la solitude patientes le message de l'ange. Rien de plus austère que cette ascèse car *nous sommes lourds mon pauvre ami*, et qu'à sacrifier l'esprit, l'intervention personnelle et le talent, on risque de tomber dans cette stérilité amère que les mystiques connaissent sur la route de l'illumination et qu'ils nomment « acedia ».

Je ne crois pas un tel art poétique facile à suivre. Il est pourtant une haute école pour les esprits désireux de sacrifier l'ornement à l'essentiel. *Le cap de Bonne-Espérance* a été imprimé avec une disposition typographique spéciale qui l'apparente superficiellement au « Coup de dés » de Mallarmé et aux « Calligrammes » d'Apollinaire.

En vérité *Le Cap* reste aussi éloigné de l'ornemanisme de « Calligrammes », que du mandarinisme mallarméen. Sa typographie accentue la force hypnotique des mots, épouse la démarche de pionnier de l'auteur. Ses coups de pioche attaquant le « possible brut »

> *Mon œuvre encoche*
> *et là*
> *et là*
> > > *et là*
> *et*
> *là*
> *dort*
> *la profonde poésie.*

Le cap de Bonne-Espérance n'a paru en librairie qu'en 1919 aux éditions de la Sirène, fondée par Cocteau et Blaise Cendrars. Notre poète était déjà fidèle à ce goût pour l'artisanat qui, tout au long de sa carrière, l'a conduit à s'occuper de la présentation matérielle de ses œuvres : livres, pièces de théâtre, films ; ce qui confère à chacune d'elles un luxe inimitable dû à la vigilance, à l'habileté manuelle, à l'omniprésence du talent dans le plus infime détail [1].

---

1. Très jeune, avant la guerre de 14, Jean Cocteau avait déjà inventé la première revue de grand luxe « Sheherazade ».

« 1917 contenait de prodigieuses germinations. 1917 nourrit dans son ventre l'embryon de nos plus hautes valeurs de ce siècle. » Paul Morand définit ainsi une année « de guerre » qui fut à Paris, dans le secret des ateliers de Montmartre et de Montparnasse, le temps de la grande métamorphose plastique. Une sorte de jansénisme groupait les peintres cubistes en réaction contre l'éparpillement impressionniste et le luxe oriental amené par les Ballets Russes. 1917 vit la première représentation et le scandale de *Parade*, ballet de Jean Cocteau, décors de Picasso, musique d'Erik Satie. C'est pour cette date importante que je mentionne une année qui ne fut pour Cocteau que celle de son premier scandale. En vérité, la rencontre du poète et de Picasso, qui fut selon ses propres termes, la grande rencontre de sa vie, avait eu lieu vers 1916 au moment où il dirigeait avec Paul Iribe le journal « Le Mot ». Une amitié y naquit, de celles que Nietzsche décrit si bien et que les années s'écoulant n'ont jamais obscurcie. Cocteau a trouvé dans l'œuvre de Picasso une confirmation de sa propre attitude morale et de son esthétique. Il serait absurde de parler d'influence d'un des deux créateurs sur l'autre, mais une exceptionnelle « parité » dont ces quelques lignes extraites de la brochure de Cocteau sur Picasso me paraissent le plus sûr commentaire :

La clairvoyance domine son œuvre. Elle dessécherait une petite source. Ici elle économise les forces et dirige le jet. L'abondance n'entraîne aucun romantisme. L'inspiration ne déborde pas. Il n'y a plus à prendre et à laisser. Arlequin habite Port-Royal. Chaque ouvrage puise dans la tragédie intime dont il résulte une intensité de calme.

L'idée du ballet *Parade* représente une double réaction. La première dans le sens du jansénisme des peintres cubistes

▲

Montparnasse 1916. Avec Max Jacob et Picasso

Rome 1917. Olga Picasso, Picasso et Cocteau.

contre le symbolisme et la chorégraphie trop complexes des ballets russes d'alors. La deuxième contre les peintres eux-mêmes qui enfermés dans leurs chambres de Montmartre ou de Montparnasse avec leurs compas, leur règle d'or, méprisaient la décoration théâtrale. Proposer à Picasso de faire des costumes, des décors, des accessoires pour Diaguilew et de les réaliser à Rome, provoqua un scandale. Mais Picasso accepta la collaboration et le voyage. Satie demeura à Paris et Cocteau emporta sa partition en Italie. *Parade*, ballet « réaliste » fut représenté en 1917 au théâtre des Champs-Élysées. Sa nouveauté absolue, son parti pris d'évidence, la limpidité de son argument, de sa musique, de sa chorégraphie qui partait des gestes quotidiens, la fraîcheur inventive des accessoires et des costumes de Picasso déclenchèrent une sorte d'émeute. Le public croyant à une farce aurait fait un mauvais parti aux auteurs sans la présence d'Apollinaire, casqué de cuir, revêtu de son uniforme de guerre, qui protégea leur fuite en coulisses.

La bombe *Parade* ouvrit vraiment la période militante de l'art moderne. Pour en prolonger les effets et parce qu'il a toujours été soucieux de convaincre autant que d'étonner, Cocteau écrivit *Le Coq et l'Arlequin*. Ce tract est l'une des œuvres critiques les plus singulières de son auteur et la

Erik Satie et Valentine Hugo

plus ressemblante à ce qu'elle défend : une musique française dégagée du wagnérisme comme du debussysme et du stravinskysme. En fait, dédié au jeune Georges Auric, le *Coq* précise l'esthétique du futur groupe des Six, mais surtout rend à Erik Satie l'hommage « affirmatif », sans développements, que ce grand musicien mérite.

Satie enseigne la plus grande audace à notre époque : être simple. N'a-t-il pas donné la preuve qu'il pourrait raffiner plus que personne ? Or, il déblaie, il dégage, il dépouille le rythme. En louant Erik Satie, après Picasso, et pour des qualités analogues d'économie et de clairvoyance, Jean Cocteau précise sa position personnelle à l'extrême pointe d'un « classicisme de choc ». Ce classicisme déplaît à la fois aux « passéistes » qui se font une idée tout académique du style classique et aux « modernistes » qui chérissent l'anarchie verbale, la séquelle de la poésie maudite (Rimbaud, Lautréamont, Jarry) et les machines.

Les uns et les autres sont moqués par le poète dans deux satires imagées : *Le bœuf sur le toit,* pantomime jouée par les clowns Fratellini avec des masques et un décor de Raoul Dufy sur une musique de Darius Milhaud. Le titre est celui d'un café d'Amérique du Sud vu par Claudel sur une enseigne au cours d'un voyage. On sait qu'il porta

bonheur à un directeur de bar, Loys Moyses, et qu'il fut le signe de ralliement du Tout-Paris artistique et mondain de l'entre deux guerres. La deuxième satire *Les mariés de la Tour Eiffel* fut créée par les Ballets Suédois avec la musique des Six et les costumes et décors de Jean et Valentine Hugo. Un commentaire était déclamé au moyen de deux porte-voix par Pierre Bertin et Marcel Herrand. Pour la première fois Cocteau proposait une *poésie de théâtre* (et non de la poésie au théâtre) avec des mots et des situations capables de supporter le grossissement scénique sans rien perdre de leur humour percutant. Le texte, d'un comique pur, garde aujourd'hui même toute sa force et sa fraîcheur en dépit des imitations qu'il a suscitées et qui devraient en atténuer la pointe. A la création, il fit aussi scandale. Ajoutons que c'était la première fois que le « style 1900 » était employé sur scène de façon poétique... quelque vingt-cinq ans avant de devenir le tarte à la crème des cinéastes et des décorateurs.

Pour compléter ces manifestations d'esthétique nouvelle, le journal « Paris-Midi » offrit à Cocteau une rubrique régulière qui permit au poète de défendre la jeune poésie, la jeune musique, la jeune peinture. Ces articles, rassemblés sous le titre de *Carte blanche*, offrent le modèle d'un journalisme où la vivacité de la prise de vues s'allie au plus rigoureux sens critique.

Ajoutons que Cocteau n'y parle que de ce qu'il aime sans jamais céder à l'attrait facile du dénigrement. A toute l'activité ésotérique de ces années si brillantes et si fécondes d'immédiate après-guerre, le recueil *Poésies* apporta le contrepoint d'un ésotérisme savant, mais dont le mystère a la transparence du cristal. Outre ses rythmes d'une mobilité et d'une invention perpétuelles, ce volume met en circulation une mythologie qui d'une part, veut rajeunir les thèmes poétiques tombés en défaveur comme les étoiles, les statues, la neige, la Méditerranée, les anges, et d'autre part, hausser au registre noble le cirque, les cyclistes du dimanche, les marins de Toulon, les drapeaux du 14 juillet. Toute une jeunesse qui voulait vivre après les terribles années de guerre, qui voulait respirer un air neuf, trouva dans ces poèmes un réconfort et comme une invitation au bonheur.

C'est à ce moment que Jean Cocteau devint le prince de la jeunesse, l'inventeur de toutes les modes, l'oracle que l'on sollicitait à tout propos. Ce fut aussi le moment où le poète fêté, applaudi par le monde entier (non plus comme en 1911 pour de mauvaises raisons, mais pour *le bon motif*) choisit de se mettre humblement à l'école. Réaction instinctive d'un esprit assez scrupuleux pour ne rien craindre tant que l'excès de complaisance envers soi-même. Ce qui donne à chaque découverte de Jean Cocteau une si grande puissance affirmative, c'est qu'après l'avoir formulée, le poète l'éprouve en consultant ceux qu'il estime de bon conseil et dont il espère confirmation. L'admiration pour autrui est le réconfort des grandes âmes. Surtout quand cette admiration précède la gloire des amis admirés. Après Picasso et Satie, compagnons de lutte et loués par Cocteau bien avant les trompettes publiques, l'auteur de *Parade*, devenu l'astre majeur d'une pléiade exceptionnellement brillante, se mit à l'école d'un nouveau génie : Raymond Radiguet. Au moment de cette rencontre (la plus importante après celle de Picasso) le futur auteur du « Diable au corps » a quinze ans. Cocteau écrira, préfaçant « Le bal du comte d'Orgel » : *Le seul honneur que je réclame est d'avoir donné pendant sa vie à Raymond Radiguet la place illustre que lui vaudra sa mort.* Et sans doute un des titres de gloire de Cocteau est bien la découverte avant tout le monde (et l'intéressé lui-même) d'une des valeurs les plus sûres de notre littérature. Mais l'œuvre personnelle de Raymond Radiguet n'est pas notre propos. Ce qui nous importe c'est son influence directe sur l'éthique de Cocteau. De quelle façon s'est-elle exercée ? Comme je viens de le dire : par confirmation. Dédicaçant les *Visites à Maurice Barrès* à l'adolescent dont il avait pressenti le génie, Cocteau écrivait en 1926 :

> *Mon cher Radiguet,*
> *Vos dix-sept ans sont une preuve vivante de ce que j'affirme.*

C'était donc bien une identité de vues qui unissait le poète célèbre et le poète en herbe. Radiguet, se ralliant à l'esthétique du *Coq et de l'Arlequin* et de *Poésies*, rassurait Cocteau, l'encourageait à mener sa croisade du clair contre l'obscur, du nouveau classicisme contre l'exploitation facile de la poésie maudite.

Nourri dans l'extrême gauche des lettres, disait encore l'auteur des *Visites*, *vous la menacez d'une rose comme d'une bombe. Seul attentat possible contre les fleurs du mal et les machines... je salue en vous le premier contradicteur né de la poésie maudite.* Chaque mot employé par Cocteau a sa signification : ce qu'il admire et le réconforte dans le cas

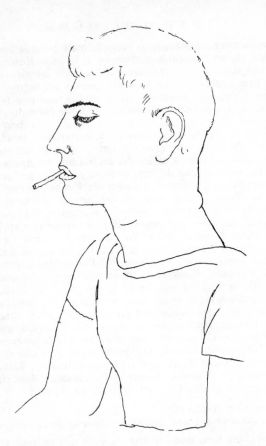

Radiguet, c'est l'innéité. Le futur auteur du « Diable au corps » est classique par nature et non par manœuvre.

Radiguet a eu la bonne fortune de naître après l'époque où trop de clarté fade commandait la foudre. Il peut donc surprendre par sa platitude, par le calme d'un génie qui ressemble au meilleur talent. Miser sur le numéro Radiguet au plus fort du modernisme poétique, au temps de l'écriture automatique, de l'image gratuite, de l'exotisme outrancier, c'était choisir une fois de plus la solitude, l'incompréhension, perdre le terrain gagné avec le scandale de *Parade*. C'était refuser de descendre une pente créée par soi-même. Mais la remontée à contre-courant n'eut rien de prémédité. *Imaginez combien seraient fastidieuses des œuvres exprès directes, exprès compréhensibles, exprès blanches, exprès sobres, exprès comme tout le monde !*

Bref, le nouvel « ordre considéré comme une anarchie » représentait une réaction spontanée.

« *LA VIVACITÉ BLANCHE...* »

Cette spontanéité explique la fraîcheur, la jeunesse inattaquables des œuvres si diverses écrites pendant cette période militante, et qui sont autant de réussites formelles. Nous n'avons pas à analyser ici les deux romans de Radiguet : « Le diable au corps » et « Le bal du comte d'Orgel », classiques dès leur parution et qui ne cessent d'inspirer les meilleurs parmi les nombreux romanciers à chaque relève de génération.

Jean Cocteau publie de 1921 à 1923 un recueil de poèmes : *Vocabulaire*, un essai critique : *Le Secret professionnel*, deux romans : *Le Grand écart* et *Thomas l'imposteur*, un poème : *Plain-chant*.

Dédié aux musiciens du groupe des Six, *Vocabulaire* approfondit les découvertes du recueil *Poésies*. La « mythologie réaliste » des fêtes populaires y affirme sa grâce et sa palette claire, mais elle s'enrichit d'un retour aux thèmes chers aux poètes de la Pléiade. Du graphisme naïf des enseignes, l'auteur glisse imperceptiblement au style des grandes allégories et certains poèmes comme *L'envers et l'endroit* annoncent le lyrisme soutenu, la haute cadence du futur *Plain-chant*. *Vocabulaire* a tant de charme et de maîtrise qu'il représentait pour son auteur le danger de se sentir un peu trop assuré de ses pouvoirs. Or, il a toujours plus importé à Cocteau de convaincre que de séduire. Retiré au Piquey sur la baie d'Arcachon en compagnie de Radiguet qui y

Radiguet, Auric et Cocteau

écrit le « Diable au corps », le poète entreprend la grande
aventure critique du *Secret professionnel*. Ce texte d'une
importance capitale, s'attaque aux problèmes du génie et
du talent, de l'inspiration et du style, dresse un catalogue
des valeurs, surtout définit sans le moindre pédantisme et
sans la moindre complaisance, la *valeur* en littérature. Aujourd'hui même, *Le Secret professionnel* demeure le bréviaire
de tout apprenti écrivain (et l'on voudrait aussi celui
de tout critique littéraire). Une humilité sans défaut, un
aristocratisme parent de celui de Nietzsche et de Gobineau
y séparent le bon grain de l'ivraie, exaltent la vitesse,
l'invisibilité du style et son caractère fatal. *Le style ne saurait
être un point de départ. Il résulte... Le vrai écrivain est celui
qui écrit mince, musclé. Le reste est graisse ou maigreur.* Surtout
les grands dangers de l'ornement, de la rhétorique, du développement d'après une trouvaille déjà consacrée sont dé-

Radiguet dictant à Auric « Le Bal du Comte d'Orgel »

noncés en termes incomparables. On ne saurait analyser les thèmes enchevêtrés du *Secret professionnel*. En choisir quelques-uns ne serait jamais que complaisance personnelle. Il vaut mieux citer ce passage :

Apprenez qu'un bon livre ne donne jamais ce qu'on en peut attendre. Il doit vous hérisser de points d'interrogation.

L'auteur d'un tel manifeste se devait de fournir lui-même l'illustration exemplaire de sa thèse. Ce ne pouvait être que sur le terrain le plus décrié, donc le plus exposé, donc le plus significatif. L'intelligenzia d'alors se détournait du genre romanesque qui jusqu'à la guerre de 14 avait tenu la première place. Nous avons vu que le jeune Radiguet préparait « Le Diable au corps ». Il étayait son audace par la lecture assidue des romans de Paul Bourget dont la technique, la probité, l'intéressaient. En écrivant son premier roman *Le Grand écart*, Jean Cocteau avait à se garder de l'influence

la plus dangereuse, celle du débutant génial choisi comme
Mentor. Celui-ci s'apprêtait à revaloriser le roman en accep-
tant d'obéir à ses règles traditionnelles pour exposer un cas
psychologique très neuf : celui d'un adolescent promu
homme par le désordre de la guerre. Cocteau eut l'inspiration
de renverser le problème ; *Le Grand écart* raconte une
éducation sentimentale non datée, le drame d'un premier

▲
Au Picquey (Arcachon)

amour tel qu'il peut être vécu par tout collégien sensible
à quelque génération qu'il appartienne, mais cette crise classique est exposée sous une forme si originale, que ce roman
demeure unique dans l'œuvre de son auteur et jusqu'à ce
jour inimité. Livre d'une prodigalité extrême ou les trouvailles perpétuelles d'image, de verbe, les réflexions à l'emporte-pièce ne sont jamais exploitées, accommodées, mais scin-

tillent, rassemblées par courts paragraphes qui sont autant de bouquets de feu d'artifice.

Le style « figuratif » comme on dit aujourd'hui y atteint son plus haut degré d'intensité. Rien de plus éloigné de la description naturaliste et pourtant rien de plus allusif, rien qui fasse mieux voir.

Un somptueux tir de foire en miettes, voilà Venise le jour. La nuit elle est une négresse morte au bain avec tous ses bijoux de pacotille...

. . . .

Germaine tirait sa fraîcheur du fumier. Elle s'en repaissait avec une gloutonnerie de rose. Et de même que la rose offre le spectacle d'une bouche profonde qui puise son parfum chez les morts, de même son rire, ses lèvres, ses joues devaient leur éclat aux krachs de la Bourse.

La technique et l'expression du *Grand écart* sont assez fulgurantes pour faire presque oublier qu'elles sont au service d'un drame du cœur. La pudeur de celui-ci explique l'éclat de celles-là. La douleur vraie a besoin de secret. La désillusion amoureuse de Jacques Forestier, son suicide manqué, la progression de son désespoir touchent plus sûrement quand nous les découvrons à travers les mailles scintillantes et multicolores qui les recouvrent d'une sorte de tunique de Nessus. Avec *Le Grand écart* il semblait que Jean Cocteau eût donné sa forme définitive à ce qu'il appelle *la poésie de roman*. C'était oublier la multiplicité de ses dons et son pouvoir de métamorphose.

Le Grand écart c'est l'originalité sans modèle. *Thomas l'imposteur* écrit quelques mois après, c'est l'originalité par la copie géniale.

Radiguet avait décrété : « Il faut copier les chefs-d'œuvre, car c'est par où cela nous est impossible que nous innoverons. » Et de rouvrir la « Princesse de Clèves » pour s'entraîner à écrire « Le bal du comte d'Orgel. » « La Chartreuse de Parme » encouragea Cocteau à écrire une histoire de guerre avec assez de légèreté pour que l'Histoire y soit présente, mais dépourvue de ses attributs grandiloquents.

« Les personnages de *Thomas l'imposteur* ne pouvaient se réunir, faire leur précipité que dans le vide du début de la guerre (1914-18). Ce sont les mouches irrisées du charnier. La guerre vue des coulisses se trouve décrite en raison d'eux. » Les coulisses sont les tranchées et les dunes du Nord où l'auteur avait vécu auprès des fusiliers-marins qui déjà l'inspirèrent au temps du *Discours du grand sommeil*.

L'acteur principal, Thomas Guillaume Fontenoy, à peine sorti de l'enfance, pénètre dans les coulisses du théâtre de la guerre réservé aux hommes faits, à la faveur d'un mensonge (son nom étant, par hasard, celui d'un général célèbre). Mais ce mensonge biographique lui permet de vivre son mythe et de mourir en héros de l'Histoire : bref, d'accéder à cette réalité supérieure qui est la vérité des poètes. *Guillaume tué net, c'est l'enfant qui joue au cheval, devenu cheval.*

Thomas l'imposteur dont Cocteau désirait que l'on goûtât *la vivacité blanche* est un modèle de rapidité, d'élégance, de pudeur et de justesse. Il est stendhalien dans la mesure où il répond parfaitement au vœu de l'auteur de la Chartreuse qui réclamait que dans une œuvre *tout fût à la fois vrai et idéal.* Accueilli sévèrement par la critique au moment de sa parution, tant pour sa désinvolture que pour sa vérité contraire à l'académisme des livres de guerre pullulant depuis 1918, ce roman est le grand favori de la génération nouvelle. Comme certaine fleur est appelée « le désespoir du peintre » Thomas pourrait être qualifié de « désespoir du romancier ». Mais son inimitabilité suscite l'énergie des vrais créateurs. Et comme la Princesse de Clèves ou la Chartreuse, *Thomas l'imposteur* est devenu un « chef-d'œuvre à copier ».

J'ai parlé plus haut de la période militante si féconde au cours de laquelle Cocteau mena la croisade pour le naturel contre le bizarre, pour le blanc contre la bigarrure. Au *Secret professionnel*, au *Grand écart*, et à *Thomas l'imposteur* vient s'ajouter le poème *Plain-chant* par quoi le poète se venge des contraintes, de la critique et du roman. Cocteau s'est fâché longtemps de l'admiration unanime rencontrée par ce recueil, estimant que bien d'autres poèmes de lui moins ouverts et moins décidément lyriques, méritaient la même audience. Il n'y peut rien. « La Tristesse d'Olympio » n'était peut-être pas ce que préférait Hugo dans son œuvre. Ce qui chante enchante. Le futur auteur d'*Orphée* en avait conscience puisqu'il a nommé (avec son génie habituel des titres) *Plain-chant* un grand air en offrande à l'amour, à la mort et à la gloire.

Ce furent les préoccupations consignées dans la *Lettre à Maritain* qui ouvrirent mes yeux à l'importance morale de l'œuvre de Jean Cocteau. La *Lettre* parut en 1926 après une offensive théâtrale (adaptation libre d'*Antigone*, de *Roméo et Juliette*, création d'*Orphée*) sur laquelle nous reviendrons. Son auteur, bouleversé par la mort de Radiguet, éconduit par l'opium dont il avait adopté les *nobles rites* comme palliatif de ses souffrances, épuisé par son travail de metteur en scène de « Roméo » et son rôle de Mercutio qu'il tenait dans la pièce (représentations à La Cigale organisées par le comte Étienne de Beaumont) dut à l'amitié du philosophe thomiste Jacques Maritain et à l'influence rayonnante du Père Charles (de l'ordre du Père de Foucauld) la consolation imprévisible d'un retour au catholicisme.

Ma paresse aime recevoir des ordres. De qui consentirais-je à en recevoir sinon de Dieu ? Ce n'est pas le mysticisme qui m'a convaincu. Les miracles, je les adore, mais ils me gênent plutôt, comme toute preuve. Ce qui convainc une intelligence indécise, c'est la carcasse de notre religion, ses chiffres, son algèbre d'amour.

Cette lettre fit grand bruit, conduisant beaucoup d'esprits religieux à la gravité de l'art considéré à tort comme profane :

Croyez-vous que Notre Seigneur cherche à faire parler de lui ? Il ne demande pas à être recopié. Dieu ne saurait être déifié sans ridicule. Il aime être vécu. Les langues mortes sont mortes. Il faut le traduire dans toutes les langues vivantes et l'aider à se cacher pour faire le bien, comme le démon se cache pour faire le mal.

Naturellement, ce texte souleva aussi de nombreux malentendus. On parla de « conversion », terme inexact, puisque Jean Cocteau avait été élevé dans le catholicisme. En vérité, le poète trouvait avec la religion la preuve la plus catégorique de la primauté de la ligne droite sur la ligne brisée, la confirmation que le mystère est un absolu de clarté :

Je n'ai pas à me plaindre de cette recherche d'une ligne droite puisqu'elle me mène à la ligne des lignes, à la mélodie du silence : La Sainte Vierge et au classicisme du mystère : Dieu.

On eût pu craindre que ce retour au bercail signifiât démission, abandon de poste ou simplement repos au sein de l'ordre. Bien au contraire le poète proposait son expérience religieuse comme une nouvelle incitation à l'énergie :

Je voudrais que l'intelligence fût reprise au démon et rendue à Dieu, lâcher dans la sainte pénombre un peu tiède des enfants de chœur, des pirates avec foi et lois, croyant à Dieu et à Diable et capables de tout.

Et Cocteau ajoutait : *l'instinct me pousse toujours contre* la loi. *C'est la raison secrète pour laquelle j'ai traduit* Antigone. *Je détesterais que mon amour de l'ordre bénéficiât du sens que l'on prête paresseusement à ce mot.* Ce fut donc par amour de l'action, obéissance à sa vocation de franc-tireur qui refuse l'aide de tout groupement organisé, même le plus noble, par filiation directe avec cette Antigone qualifiée par Barrès de « jeune anarchiste » que Jean Cocteau tout en restant affectueusement lié à Maritain reprit sa liberté. Le Père Charles lui avait d'ailleurs conseillé « Restez libre ». Il suffisait que le poète s'adressant aux bons entendeurs et ne choquant que les pharisiens eût déniaisé, au temps de l'incroyance, le matérialisme à fin de course.

Mesdemoiselles Aïssé et Genica Athanasiou dans « Antigone ».

C'était déjà une tentative de restauration du sacré, que les adaptations des deux tragédies grecques « Antigone » et « Œdipe roi ». Qui s'occupait alors de Sophocle ? Les spécialistes de la Sorbonne. Depuis la retraite de Mounet-Sully, on ne jouait plus « Œdipe » que l'été dans les théâtres en plein air, et de quelle façon ! Pour réveiller l'attention de l'élite, de la jeunesse enivrée de modernisme, Cocteau fit subir aux textes oubliés une opération analogue à celle que l'on pratique dans les instituts de beauté. Il trancha, resserra, retendit un tissu admirable, mais rendu flaccide par des traductions et des traditions surannées. « Antigone » fut représentée chez Dullin avec un décor de Picasso, des costumes de Mlle Chanel, une musique de scène d'Honegger (qui devait tirer de la tragédie un opéra représenté en 1942 avec un décor de Cocteau). Les cinq actes de Sophocle étaient ramenés à un seul d'une intensité superbe. Toute une jeunesse européenne trouva place Dancourt son chemin de Damas... qui était le chemin d'Athènes (sans parler des dramaturges futurs, en tête desquels il convient de citer Giraudoux, Gide et Anouilh). L'adaptation d'« Œdipe roi » fut jouée beaucoup plus tard (en 1936) et nous intéresse surtout en ce qu'elle fut la première esquisse « d'après un chef-d'œuvre » du chef-d'œuvre personnel que Cocteau écrira plus tard : *La machine infernale. Orphée* est le fruit mystérieux, parfait et complètement original du commerce de son auteur avec la tragédie grecque. Comme Nietzsche et Hölderlin, Cocteau restaure le sens primitif de l'Ananké caché aux regards des hellénisants depuis le XVIIe siècle sous le masque fallacieux de la « sérénité grecque ».

M. Roger Lannes a fort pertinemment écrit « qu'un air de police surnaturelle » baigne cette pièce que Georges et Ludmilla Pitoëff dans les rôles d'Orphée et d'Eurydice créèrent de façon inoubliable. Le génie de Jean Cocteau fut de montrer sur scène, de rendre présent et comme touchable du doigt ce qui, dans un mythe, semble devoir échapper à toute matérialisation : le travail de la mort, l'après-mort, les allées et venues d'un ange gardien, la fatalité de l'inspiration poétique. Une chirurgienne et ses aides, un miroir où l'on pénètre comme dans l'eau, un vitrier ailé de ses vitres, un cheval savant dans un box de cirque, donnèrent corps aux plus informulables angoisses, renouvelant de fond en comble le matériel allégorique dont les peintres et les poètes s'étaient servis jusqu'alors.

Cocteau en Heurtebise

Un des personnages d'*Orphée* est, nous venons de l'indiquer, un ange revêtu de la forme d'un jeune vitrier. Cocteau l'avait nommé Heurtebise parce qu'il avait lu ce nom sur la plaque d'un ascenseur. Cet ange, le poète va lui faire subir une nouvelle métamorphose. Il le déshumanise, le débarrasse de son apparence corporelle. Redevenu force pure, feu du ciel, Heurtebise n'est plus seulement l'ange gardien, mais l'inspiration qui obéissant à un ordre supérieur envahit l'esprit du poète et l'embrase des flammes du génie. Le poème de Cocteau : *L'Ange Heurtebise*, est le procès-verbal de ce coup de foudre. Jamais son auteur n'avait poussé plus loin l'audace de *pétrifier de l'abstrait* avec un vocabulaire plus simple et plus efficace :

> *Ange Heurtebise, abonde, moelle*
> *D'avion en sureau et en toile d'albâtre*
> *c'est l'heure. Il faut encore*
> *Descendre à mon secours, la tête*
> *La première, à travers le verre*
> *Sans défaut des yeux, le vide, l'île*
> *Où chante l'âtre. Sors ton épée*
> *Viens au ralenti folle étoile.*

A une pareille altitude, on n'oserait parler de tour de force. Disons plutôt que l'extraordinaire réussite de ce poème, le plus étonnant des temps modernes est due à l'alliance de l'humilité et de la vigilance portées à leur extrême degré.

On ne trouve ce mépris de l'effet, cette soumission clairvoyante à l'invasion surnaturelle que dans les textes des grands mystiques.

L'ange Heurtebise est la plus haute illustration poétique de ce que son auteur devait qualifier plus tard (en étudiant la peinture de Chirico) de *mystère laïc*.

Le poème parut isolément en plaquette de luxe avec un frontispice photographique de Man Ray ; quelque temps après, Jean Cocteau l'insérait dans le recueil *Opéra*, un des sommets de son œuvre. La couverture était signée du nom d'un jeune peintre à peu près inconnu : Christian Bérard.

En 1927, j'écrivais au sujet de ce livre, au moment de sa parution : « *Opéra*, dont le titre doit être pris au sens rigoureux *d'œuvres poétiques*, ouvre cependant un état de mystère rouge et or, comme le sommeil joue toute une nuit de sublimes calembours autour d'une seule image, d'un seul mot. *Opéra* est le premier livre de poésie pure depuis des années, qui nous apporte cette part réelle d'absolu dont nous mourions de faim... En sa composition même, il est une ascension. Ses premiers poèmes chargés d'expériences infiniment variées préparent l'esprit à la grande rencontre avec *l'Ange Heurtebise* qui retrace *directement* les étapes d'une nouvelle chute de Saül. Un des poètes les plus fêtés a été soudain mis en contact direct avec la foudre poétique. Après Heurtebise il ne parle plus la même langue qu'avant. J'insiste sur la nouveauté absolue du ton de la troisième partie d'*Opéra* intitulée : *Musée Secret*. La lutte avec l'ange ayant fait voler en éclats la fragile écorce étincelante qui éblouissait les regards superficiels, le poète s'avance seul et nu sur un tracé aux lois secrètes. Il piétine les flots, traverse les murailles, avance le long des corniches, surprend les secrets et les farces redoutables qu'ourdissent les statues de marbre que les dieux cruels ont feint de déserter. Jamais on n'était passé si près de la cuisse de Jupiter à moins d'en être sorti. »

Aujourd'hui, j'ajoute que la Grèce delphique, celle des oracles en forme de devinettes, de calembours faussement innocents, de l'*angoisse pure*, a trouvé dans *Musée Secret* sa plus singulière et sa plus juste définition.

Ainsi l'hellénisme de Jean Cocteau sera-t-il un des plus riches dans la tradition française. La Grèce tragique, la Grèce qu'il a désensevelie avec la prescience d'un Schliemann archéologue de l'esprit, précèdent sa découverte de la Grèce géographique qu'il saura louer merveilleusement dans ses deux livres de voyage : *Mon premier tour du monde* et *Maalesch*.

Le style de *Musée Secret* mêle, avec une audace étourdissante, une prose de code civil à une poésie où le jeu de mots est au service de la grandeur.

ATHÉNA : *Je suis née grecque. Je suis l'aînée. J'ai le nez grec, le nez d'Énée. Je suis le mur, l'art mûr, l'armure. Je suis la sève héritée. Je suis lasse et vérité. Je suis la sévérité. Je suis la cruelle crue elle. L'aile des rues et des ruelles. Mes mensonges c'est vérité. Sévérité même en songe. Je suis le mythe, la railleuse. La mitre à yeux. L'amie trahie. La lance affront, le front à lance. Je suis la moelle, je suis le sort. De moi l'art sort à ressort. Je dis : l'art meut l'arme des larmes...*

L'arme des larmes, conseil grec, amène l'auteur de la *Lettre à Maritain* qui avait prédit : *Voici le temps de l'amour* à une nouvelle réaction féconde. Abandonnant l'ésotérisme magique d'*Opéra* (et celui des multiples dessins et objets qui en accompagnèrent la rédaction) Jean Cocteau revient au théâtre, mais, triomphateur des scènes d'avant-garde, il choisit de proposer au comité de lecture de la Comédie-Française (administrée par Émile Fabre) un acte « vériste » *La voix humaine*, drame quotidien, mais éternel, de la rupture amoureuse.

Aucune péripétie. La pièce est écrite pour une interprète unique. L'histoire est celle d'une femme que son amant très correct quitte pour se marier. Il lui téléphone une dernière fois et nous assistons à ce colloque déjà écartelé par la distance, dans la chambre de l'abandonnée.

Aujourd'hui que cet acte est devenu célèbre, qu'il est incessamment joué dans le monde entier par des vedettes internationales, que le livre, le film, la radio et le disque en ont popularisé la bouleversante humanité, il est presque impossible de ressusciter l'atmosphère « scandalisée » de la répétition générale. L'élite retrouvait, et dans mon cas personnel trouvait le chemin d'un théâtre officiel maudit par le modernisme. Un extraordinaire décor de Bérard, réaliste et magique, l'interprétation de Mme Berthe Bovy, la nudité d'un texte où la douleur s'exprimait toute pure, restauraient brutalement le règne du cœur, démodaient les pièges de l'intelligence... et permettaient l'avenir « parisien » d'un théâtre que sans doute, Cocteau n'en n'ayant pas essuyé les plâtres et redoré le blason, jamais Bourdet n'eût songé à diriger avec l'éclat que l'on sait.

Le succès vint, non de l'élite, mais du public non prévenu, le premier « grand public » qui devait par la suite, tant de fois, venger Cocteau des incompréhensions et de l'indifférence de ce milieu « averti » qui depuis 1930 environ s'est démis de son rôle actif pour sombrer dans le « confort intellectuel » si bien décrit par Marcel Aymé.

L'offensive de la *Voix humaine* pouvait préluder à une carrière publique de son auteur. La réaction qui la suivit, fut, celle-ci, involontaire. Cocteau tomba malade et fut soigné dans une clinique de St-Cloud. L'opium, une seconde fois, l'excluait de ses rites. Le poète dont les pires souffrances ne peuvent abattre l'énergie résolut de prendre des notes et de tenir le journal de sa désintoxication.

Soudain, le sujet des *Enfants terribles* s'imposa à lui. En trois semaines, à raison de dix-sept pages par jour, un roman *s'écrivit*, soumettant le convalescent à un labeur de scribe, lui donnant l'aspect de quelqu'un *que l'on ne voudrait pas rencontrer au coin d'un bois*.

Ce roman est la preuve admirable de la différence qui sépare un texte inspiré de l'écriture automatique. L'inspi-

ration draine toutes les puissances profondes du poète dont
elle se sert, alors que l'automatisme (provoqué d'ailleurs
par les faux automates) se contente d'une écume verbale
toute superficielle.

Les Enfants terribles, livre d'une construction rigoureuse, part
du réel (souvenirs d'enfance, cité Monthiers, caractères de
frère et de sœur, décor de chambre, tous exceptionnels
mais donnés par la vie) pour s'élever à l'allégorie, à la grande
expression tragique du destin.

La vraie cité
Monthiers

Jean

Le succès foudroyant qui accueillit la parution de ce roman et que les années n'ont pas démenti est dû, j'en suis assuré, à la hauteur du ton, inhabituelle dans le genre romanesque. La jeunesse de l'entre-deux guerres se complut à ce prétendu « miroir » non pour sa fidélité (l'auteur obéissant à ses propres phantasmes n'avait jamais songé à peindre une génération) mais pour son pouvoir d'agrandissement. Les héros des *Enfants terribles*, purs jusqu'au crime, devinrent modèles non parce que leur destin particulier les entraînait vers une fin atroce (et sans doute condamnable) mais parce qu'ils étaient purs et de ceux qui ont su conserver leur part d'enfance.

Le même enthousiasme, la même incompréhension devaient s'opposer au moment de la création des *Parents terribles* qui sous l'apparence d'une « pièce de boulevard » apporta à ce genre décrié le renouvellement par la grandeur. L'amour d'une mère-enfant y joue le même rôle tragique que celui de la sœur-enfant, l'Élisabeth du roman.

Le journal de désintoxication entrepris par Cocteau avant que *Les Enfants terribles* lui fût dicté, et qu'il acheva cependant, parut sous le titre *Opium*, accompagné de dessins et de collages d'une intensité prodigieuse, véritables graphiques de la douleur. Dans cet ouvrage si différent du roman et des livres précédents de Cocteau, c'est encore le réel qui fut observé scrupuleusement, surmonté et survolé. *Opium* retrace les étapes d'une évasion. Ce journal renoue par la concision extrême du style, la généralité des réflexions, avec les œuvres de nos grands moralistes du XVIIe et du XVIIIe siècles, si admirativement consultés par Nietzsche. On en retrouve la forme et le ton, plus tard avec *La Difficulté d'être* et le *Journal d'un inconnu*, ceux-ci plus détendus, moins liés à un état de crise. Jean Cocteau est si lucide et d'une si forte vitalité que sa désintoxication ressemble à une ascèse dont la drogue n'aurait été que le prétexte. *Opium* n'est donc pas un plaidoyer ou un réquisitoire, encore moins une description des « Paradis artificiels » qui ont donné le jour à tant de bons et mauvais ouvrages.

Comment le génie le plus libre parvient à vaincre l'influence la plus enivrante et la plus exclusive, c'est toute la donnée héroïque du livre. *Opium* apparaît apollinien plus qu'orphique, puisque l'auteur y échappe (après quelles souffrances) au maléfice et perce de ses flèches étincelantes le serpent ténébreux.

Je m'aperçois que j'ai parlé peut-être trop brièvement du roman *Les Enfants terribles*. Mais qu'en dire que chacun ne sache déjà ? Son influence de 1930 à 39 a pu être comparée à celle de « Werther » en son temps. Comme Gœthe, Jean Cocteau ne s'est jamais senti solidaire des jeunes lecteurs qui ont déformé son œuvre et l'ont tirée à eux. Il n'y a pas de « message » dans ce roman, mais, comme le disait Valéry de certains opéras de Gluck, une parfaite « machine à émouvoir ».

Un glissement vertigineux mène de la boule de neige brandie par Dargelos, jeune dieu cruel de la cour de la cité Monthiers, à la boule noire et vénéneuse envoyée par le même Dargelos adulte, à sa victime d'autrefois et qui achèvera celle-ci *comme si le temps, la croissance et l'oubli ne prévalaient pas contre un ordre du destin.* Cocteau est extraordinairement sensible au mensonge des distances et aux fausses lenteurs qui nous trompent sur la vitesse réelle des molécules qui nous composent ainsi que l'univers. Déjà il écrivait au sujet de *Thomas l'imposteur :*

On dirait au ralenti le trajet entre une fenêtre du cinquième étage et le trottoir. Les différences de vitesse entre un organisme intoxiqué et un organisme normal sont étudiées dans *Opium.* Il reprendra souvent ce thème de méditation, lui inventant de multiples métaphores plastiques, jusqu'à lui consacrer la plus grande partie de son essai : *Journal d'un inconnu* qui bénéficie des plus récentes découvertes de la jeune science non officielle.

« L'APPARTEMENT DES ÉNIGMES... »

Essais, roman, théâtre, ballets, dessins, il semblait en 1930 que Jean Cocteau eût tout renouvelé, en marquant tout de son étoile. Il restait pourtant cet art, le plus jeune et qu'il avait salué dans un de ses poèmes (*Cocardes*) : *Cinéma, dixième muse.*

Pour le renouveler et l'ennoblir, il fallait d'abord réagir contre une double servitude : 1° la conception courante du mot « cinéma » désignant un divertissement facile, oublié aussitôt que vu. De plus, la nécessité de réussite financière immédiate exigée par la dixième Muse, *personne assez suspecte, en ce sens qu'il lui est impossible d'être figurée comme ses neuf sœurs dans l'attitude de l'attente.*

Cette réaction, Cocteau l'a exprimée d'abord par le choix du terme *cinématographe* qui précise qu'un film fait par un poète n'est qu'un véhicule au service de sa pensée (et non plus une matière soumise aux lois de la consommation).

Il l'a formulée ensuite plastiquement en réalisant *Le sang du poète,* film aujourd'hui classique, projeté sans cesse dans le monde entier et qui demeure la preuve inimitable du génie en liberté.

Dans les *Entretiens autour du cinématographe* parus en 1951 (où je tins moi-même le rôle d'Eckermann auprès du nouveau Gœthe) qui sont le *Secret professionnel* de son nouvel artisanat, Cocteau me confiait :

J'ai été totalement libre dans le Sang du poète, *parce que c'était une commande privée (du Vicomte de Noailles, comme l'Age d'or de Bunuel) et que j'ignorais tout de l'art cinéma-*

tographique. Je l'inventais pour mon propre compte et l'employais comme un dessinateur qui tremperait son doigt pour la première fois dans l'encre de chine et tacherait une feuille avec. Charles de Noailles m'avait commandé un dessin animé. Je me suis vite rendu compte que le dessin animé exigeait une technique et une équipe encore inconnues en France. Je lui proposai donc de faire un film aussi libre qu'un dessin animé, en choisissant des visages et des lieux qui correspondissent à la liberté où se trouve un dessinateur inventant un monde qui lui est propre.

Mais cette liberté, pour être totale, exige de la part de l'auteur une conscience artisanale et l'habileté manuelle que l'antiquité reconnaissait au poète : (celui qui fait)

Pour que l'art cinématographique devienne digne d'un écrivain, il importe que cet écrivain devienne digne de cet art, je veux dire ne laisse pas interpréter une œuvre écrite de la main gauche, mais s'acharne des deux mains sur cette œuvre et construise un objet dont le style devienne équivalent à son style de plume... De cette façon, un film fait par nous, impose notre présence, je dirais notre firme, sans galvauder notre œuvre qu'il commente et nous empêche de perdre totalement contact avec ceux qui risquent de nous comprendre.

« Le Sang d'un Poète » ▶
▼

Le Sang du poète, commente sans la galvauder et en l'enrichissant d'une démarche de somnambule, la mythologie la plus secrète de Jean Cocteau, celle des poèmes, des dessins, des objets d'*Opéra*, celle de Dargelos, celle d'Orphée.

Une logique interne aussi impérieuse que celle des rêves, persuade le spectateur de ce film sans jamais s'expliquer. Il semble que Jean Cocteau ait retrouvé avec des moyens modernes, la tradition perdue des spectacles qui se déroulaient dans le temple d'Eleusis au moment des mystères. Tout y était, paraît-il, figuré, rien enseigné. Je me garderai donc de tomber dans le travers (mondial !) des exégètes de cette œuvre et d'ajouter quelque sottise aux interprétations délirantes qu'elle a suscitées. Jean Cocteau n'a-t-il pas déclaré à leur sujet :

La poésie sort de ceux qui ne se préoccupent pas d'elle. Nous sommes des ébénistes. Les spirites viennent après et cela les regarde s'ils veulent faire parler la table.

Je viens de souligner le caractère « éleusinien » sans doute involontaire du premier film de Cocteau. C'est consciemment qu'il revient à la Grèce tragique en écrivant et faisant jouer chez Louis Jouvet, *La Machine infernale*.

Dans le projet initial, la pièce (prévue pour Marguerite Jamois) devait se résumer à la rencontre d'Œdipe et du Sphinx. En cours de travail, cette rencontre devint le second acte d'une tragédie qui en comporte quatre :

Jocaste sur les remparts nocturnes de Thèbes.

La fausse victoire d'Œdipe sur le Sphinx.

La nuit de noces de Jocaste et d'Œdipe.

Enfin, Le châtiment d'Œdipe pour lequel Cocteau s'est servi de sa traduction d' « Œdipe Roi », l'enrichissant, sans trahir Sophocle, d'inventions admirables comme celle de faire guider Œdipe aveugle non plus seulement par la petite Antigone, mais par le fantôme de Jocaste purifiée de l'inceste par la mort et redevenue maternelle.

L'invention est, d'ailleurs, partout présente dans cette œuvre qui a l'élégance d'être fidèle à l'esprit d'un mythe célèbre et de le servir plus rigoureusement que toute application scolaire, par la liberté souveraine. Ainsi Œdipe interroge-t-il le Sphinx dans les règles, en triomphe-t-il apparemment. Mais le Sphinx, las d'obéir aux ordres cruels des dieux supérieurs, veut pour une fois, aider le jeune mortel qui doit le défier, et feindre la défaite. Le sacrifice amoureux, « humain », du Sphinx, précipite Œdipe dans le piège que les Dieux lui ont tendu. Une défaillance dans la discipline céleste apporte donc, elle aussi, son aide à la mise en marche de la machine infernale. L'inflexibilité du système est résumée sans rhétorique dans une seule phrase du Dieu Anubis : *Nous avons nos dieux. Ces dieux ont les leurs. C'est ce qu'on appelle l'infini.*

La tragédie de Jean Cocteau fourmille de beautés de toutes sortes : dramatiques, verbales, philosophiques. L'auteur, maître absolu de ses moyens, y réagit par instant contre sa propre concision et se souvenant que les grecs appréciaient l'éloquence autant que l'ironie, contrepointe son drame de réflexions légères prêtées à Jocaste et ménage au Sphinx un « grand air » qui annonce les cavatines futures du merveilleux opéra verbal que sera *Renaud et Armide*.

La machine infernale fut représentée dans les premiers décors que Christian Bérard brossa pour une pièce. Ce fut un double triomphe. L'accord était si parfait entre le poète et le peintre, que je les crus longtemps inséparables. La reprise récente de la tragédie de Cocteau par Jean Marais sur une autre scène avec des décors légèrement modifiés et une interprétation entièrement nouvelle, une autre reprise à la Télévision, m'ont convaincu de l'indépendance du texte de Cocteau à l'égard de toute présentation, si prestigieuse fût-elle, et de toute distribution. Mais n'est-ce pas le privilège d'une œuvre « classique » ? Les étudiants d'Amérique, d'Angleterre et d'Allemagne l'interprètent sur les scènes de leurs universités avec des costumes de leur invention. Je souhaite qu'il nous soit donné d'entendre *La machine infernale* au théâtre d'Athènes et d'Épidaure, car c'est dans la période moderne, le plus personnel des hommages français à la Grèce.

Après cette tragédie, Jean Cocteau s'arrachant à sa prédilection pour la fable hellénique se tourne vers la légende médiévale. C'est quitter la mer pour la forêt, lâcher les pièges des dieux de l'Olympe pour les enchantements de Merlin, abandonner la cour du roi Laïus pour s'asseoir à la Table Ronde du roi Artus. Mais ce n'est pas pour autant cesser de fouiller le mystère et se détourner du surnaturel.

Les Chevaliers de la Table Ronde pièce imaginée sur la lancée de *La machine infernale*, n'a été rédigée qu'après d'autres œuvres plus exotériques et, comme eût dit Mallarmé, « de circonstance ». Sa création au théâtre n'eut lieu qu'en 1937 mais nous choisissons d'en parler ici pour le contraste qu'elle accuse avec la tragédie grecque. Les Chevaliers ra-

content une histoire fertile en effets scéniques (siège périlleux, échiquier magique, fleur qui parle, fausse et vraie reine jouées par la même actrice) ; son écriture est volontairement dépourvue d'images, d'éloquence, d'effets verbaux. Le Dieu chrétien demeure invisible selon la tradition du Haut Moyen Age et, selon la même tradition, l'amour courtois (celui de Lancelot pour Guenièvre) tient une grande place. Enfin le héros victime des dieux, souillé d'inceste et d'orgueil, cède la place au chevalier pur qui triomphe par sa seule innéité des pièges du Malin.

Représentée sur une scène trop petite avec les seules ressources de l'ingéniosité, cette pièce attend encore la présentation digne de sa richesse et de sa complexité. Elle permit au jeune Jean Marais, alors inconnu, de camper un Galaad d'une beauté et d'un style inoubliables.

J'ai dit que la rédaction définitive des *Chevaliers* fut retardée et comme contredite par des œuvres de circonstance. C'est vrai pour les chansons et les sketches écrits afin de faire valoir les dons singuliers de Marianne Oswald, *Anna la bonne*, *La dame de Monte Carlo*. Ce type de monologue accompagné de musique sera repris par l'auteur, avec *Le bel indifférent* écrit pour Madame Édith Piaf, en 1939.

L'intérêt de ces œuvrettes tient dans l'intelligence avec laquelle le poète a su observer les lois du music-hall, servir ses interprètes populaires, sans céder à la vulgarité ni trahir la qualité de son inspiration.

Le sketch tiré de la *Matrone d'Éphèse* pour Mlle Arletty, *L'École des veuves* a plus d'ampleur. On l'a repris dernièrement dans une version augmentée au Vieux Colombier. J'ai été frappé par son élégance et son comique acidulé qui seraient fort à leur place sur une de nos scènes nationales.

Précédant cette offensive, dont le journalisme de *Portraits souvenir* et de *Mon premier tour du monde* marquent l'épanouissement, Jean Cocteau fit paraître un ouvrage de style opposé : *Essai de critique indirecte*.

La première partie avait été publiée en 1928 à tirage limité sous le titre *Le mystère laïc*. La seconde, *Des Beaux Arts considérés comme un assassinat*, rédigée au cours d'une convalescence, dans le Midi, reprend et agrandit les thèmes du *Mystère laïc* consacré à l'étude de l'œuvre du peintre Giorgio de Chirico. Ce livre renouvelle la critique d'art en mettant l'accent sur l'éthique qui, selon son auteur, doit prendre le pas sur les problèmes visuels. G. de Chirico

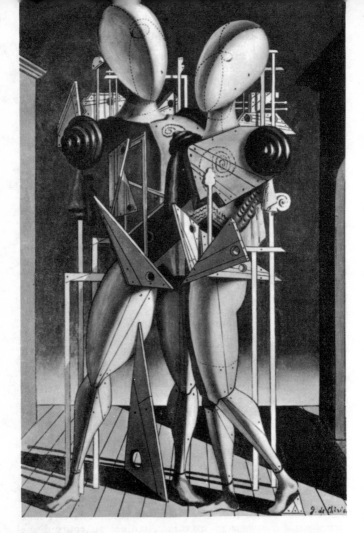

a voulu traduire avec des objets familiers, mais mis en place de façon insolite, des états de l'âme, une ténèbre interne, l'angoisse de la condition humaine. Jean Cocteau reviendra souvent sur cette nécessité de l'éthique cachée au cœur de l'esthétique. *L'essai de critique indirecte* est une œuvre anxieuse

▲

« *Métaphysique Homme et Femme* » par Chirico (Chicago)

et secrète où la définition prend parfois la forme du calembour comme dans *Opéra*.

En fait, il s'agit de restaurer un art qui tout en demeurant « laïc », c'est-à-dire étranger aux dogmes des églises, soit d'essence spirituelle, accède au sacré et ne se contente plus de faire office de « divertissement » visuel au sens pascalien du mot. Dans cet essai, comme dans ceux qui suivront *(La Difficulté d'être* et *Journal d'un inconnu)* le poète stigmatise la frivolité dangereuse de l'homme moderne qui a perdu le sens du mystère.

> Les statues dorment sous la terre
> L'étrange sommeil animal
> L'homme haïssant le mystère
> Ne sachant faire que le mal
> Dérange cette économie
> Et sous le prétexte du Beau
> Il arrache de leur tombeau
> Les divinités ennemies.

A cette œuvre toute intérieure qui mène son lecteur dans le sens, mais *au delà* des perspectives tracées par Chirico sur les toiles de sa période « silencieuse », les *Portraits souvenir* s'opposent, où Jean Cocteau opérant une volte-face, dirige son regard vers le monde des apparences.

Ce n'est pas encore une prise de vues immédiate, puisque le temps s'est écoulé entre les faits vécus et leur relation écrite. Les croquis accompagnant les articles qui paraissent hebdomadairement dans Le « Figaro » et qui ont toute la probité de l'instantané, sont dessinés de mémoire. Mais celle-ci est préservée chez Jean Cocteau des dégradations et des déformations que le temps inflige communément au Présent devenu Passé. Le miroir est sans tache. Le poète a exprimé fréquemment son étonnement sincère chaque fois qu'un incident lui rappelle la fuite des jours, son propre vieillissement ou celui de ses amis, la différence établie par l'humanité courante entre les vivants et les morts. Aussi *Portraits souvenir* est-il l'un des très rares livres de mémoires exempts de toute trace de mélancolie. On s'y promène sur les pas d'un prince charmant, éveilleur de princesses et de figurants dont on partage immédiatement la gaieté *directe* et parmi lesquels nous oublions notre condition d'intrus. Nous traversons le billard de Maisons-Laffitte, où les invités des grands-parents de l'auteur se livrent à leur sport favori : la musique. Nous

applaudissons Footit et Chocolat au Nouveau Cirque avec notre Jean-Bart sur les genoux ; lycéens, nous subissons la fascination de Dargelos et nous jetons des bouquets à la jeune Mistinguett. Et puis nous rencontrons Catulle-Mendès, Lemaitre, Rostand. Nous déjeunons le dimanche chez Mme Alphonse Daudet, dont le portrait par Renoir fulgure comme les *braises de l'héliotrope*. Le plus beau moment de ce « Temps réveillé » est celui où l'enchanteur nous ouvre la porte capitonnée de la chambre où la Comtesse de Noailles reçoit *couchée sur un large lit Louis XV, coiffée d'une aile de corbeau, catogan et boucle (qu'elle surnomme sa colonne Vendôme) descendant en spirale sur l'épaule. On croirait que ses larges prunelles sont peintes sur un bandeau masquant les yeux et qu'elle lève la tête pour regarder par-dessous. Ces yeux postiches, ces yeux immenses ruissellent à droite et à gauche du visage horizontal. Un nez puissant, un bec, des narines aux fortes encoches, propres à respirer toutes les senteurs du monde. La bouche gracieuse, aux lèvres frisées comme la rose, découvre une mâchoire de carnassier. Cette charpente, cette ossature d'a-nimal, illustrent le mot de Lemaître : « quel insecte charmant » ! Le microscope dénonce un arsenal de scies, de pinces, et d'antennes.*

Depuis le Barrès des « Déracinés » on n'avait pas employé avec tant de bonheur l'indicatif présent et les prénoms démonstratifs : *ce, cette,* qui rapprochent le sujet décrit, le dotent d'une présence impérieuse, le cernent comme certains noirs de Manet. L'autre moment, plus haut encore, (à mon avis, le sommet du livre) est celui de la rencontre de l'auteur avec l'Impératrice Eugénie à Cap Martin.

On trouvera plus loin cet exemple incomparable de ce que Hugo appelait « Choses vues » où le pouvoir transfi-gurateur de l'écrivain s'exerce immédiatement sur le réel et, sans le déformer, le hausse à la dignité d'archétype.

Les *Portraits souvenir* sont une réussite étourdissante et « agrandissante », puisque avant de devenir un livre assuré de durer, ils ont ennobli la chronique journalistique.

Mon premier voyage pousse plus loin encore la virtuosité et l'ennoblissement d'un genre. Ce récit d'un tour du monde en 80 jours, dans le sens de Jules Verne, et en respectant un horaire inventé par lui en 1876, mais à peine réalisable avec les moyens de 1936, ce merveilleux portrait d'un univers au bord de l'abîme a été publié dans Paris-Soir en reportage. Les lois du journalisme respectées par Cocteau (comme toutes les règles des jeux qu'il joue) l'obligeaient à une ra-pidité, à une concision qui décuplent la force explosive de ses images, l'acuité de ses regards.

On a souvent écrit de Gœthe : « *C'est un homme pour qui le monde extérieur existe.* » Il serait aisé d'en dire autant de Jean Cocteau dont la moindre ligne d'écrivain ou de dessinateur prouve une fulgurante préhension du réel.

Jean Cocteau s'embarquant pour le Tour du Monde est si assuré de savoir *regarder* mieux que personne qu'il redoute presque de s'abandonner à une facilité. Il prie ses lecteurs de lui permettre des « vacances » :

Voilà de nombreuses années que je circule dans les pays qui ne s'inscrivent pas sur les cartes. Je me suis évadé beaucoup. J'ai rapporté de ce monde sans atlas et sans frontières, peuplé d'ombres, une expérience qui n'a pas toujours plu. Les vignobles de cette contrée invisible produisent un vin noir qui enivre la jeunesse. C'est en somme pour le compte d'un « Intelligence

Service » difficile à situer, que je travaillais sans relâche. Il s'agissait de coloniser l'inconnu et d'apprendre ses dialectes. Parfois je ramenais des objets dangereux qui intriguaient et enchantaient comme la mandragore. Ils effrayaient les uns et aidaient les autres à vivre.

Ainsi, dormir debout, attendre les miracles, fut ma seule politique. N'est-il pas juste que je me repose un peu, que je circule sur la terre ferme et que je prenne comme tout le monde des chemins de fer et des bateaux ?

Cette *allure terrestre* le poète, en l'empruntant, croit qu'il va procéder « comme tout le monde ». Son génie contredira cette bonne volonté, aidé par la rapidité obligée des déplacements, des horaires, des moyens de transport. *Mon premier voyage* diffère beaucoup des livres de voyageurs qui ont fleuri dans la littérature de l'entre-deux-guerres et qui sont souvent si brillants et bien écrits. Un somnambulisme, un halètement nocturne, de soudains panoramas, dont la beauté insolite a l'ampleur et la brusquerie des pinceaux de phares sur la mer, voilà qui résume trop vite le rythme et l'éclairage d'une œuvre qui est à la fois le miroir fidèle des continents parcourus et celui de son auteur. Que l'on n'aille pas croire à l'arbitraire, à l'exclusion des problèmes, à un brio de surface ! Une après-midi sur l'Acropole permet à Cocteau de rendre justice à Maurras et de *reconnaître* ce lieu comme le plus accommodé à sa mesure spirituelle. Quatre jours en Égypte lui suffisent pour arracher leur secret aux tombes et se diriger en familier dans les couloirs d'un passé énigmatique (On retrouvera l'Acropole et l'Égypte approfondies dans le second livre de voyage *Maalesch*).

A ces exemples proches de nous et que beaucoup peuvent contrôler, j'ajouterai les chapitres de la fin consacrés à l'Amérique. De San Francisco à New York le génie vagabond de Jean Cocteau ne perd pas un détail significatif, et le secret de ces pays d'extrême occident, il le saisit sous leur apparence bigarrée. Il est non moins certain que le prodigieux théâtre extrême-oriental des Indes, de la Chine et du Japon, Cocteau en a compris le sens, plus profondément que les voyageurs trop appliqués, et que son reportage est aussi exact que partout ailleurs. Exact et par instants prophétique. N'est-il pas saisissant de relire, après les événements de la dernière guerre (l'offensive japonaise, etc...) ces réflexions inspirées par les statues des souverains anglais édifiées sur une place de Hong-Kong :

Cocteau (en haut à gauche) avec Paulette Goddard, Marcel Khill et Charlie Chaplin

Quelle réussite en surface ! En profondeur quel fiasco. Prendre ces hommes exige un siècle. Les perdre quinze ans. Il suffira que des voisins jaunes, armés, éduqués, renseignés par l'Europe, cueillent le fruit mûr sur la branche et laissent vivre ces trois statues comme une preuve des vicissitudes de l'orgueil national.

On m'excusera de faire un sort à des traits semblables, de préférence à tant d'autres notations plus brillantes et plus impressionnistes. Cet exemple décèle chez notre reporter l'habitude de la réflexion morale. Les préceptes d'« Essai de critique indirecte » sont ici appliqués, non à la peinture, mais au modèle vivant. Des spectacles offerts à chaque escale par les rues, le peuple, les divertissements (théâtres, zoo, opium, restaurants) le poète, par un réflexe, qui lui est naturel, traverse l'apparence et guidé par son regard qui cependant enregistre le moindre détail pittoresque, atteint leur signification profonde. Ajoutons que Jean Cocteau, en dépit de ses déplacements-éclairs trouve le temps de nouer des amitiés partout. La plus miraculeuse et la plus durable naît pendant la traversée du Pacifique. Sur le bateau, le poète rencontre un de ses pairs, poète de l'écran, Charlie

Chaplin. C'est la récompense imprévue et qui touche au
cœur un homme dont la plus grande joie est d'aimer en
admirant.

Ainsi, *Mon premier voyage* est-il fort différent des livres
« d'évasion ». *Le démon de la curiosité qui nous pousse à quitter
notre chambre et nous y ramène en fin de compte* n'est pas
celui de la dispersion, quand Jean Cocteau cède à son appel.
Optimiste-pessimiste, celui-ci n'a pas tourné autour du monde
pour s'enivrer de « différences ». Il a obstinément recherché
ce qui relie, malgré eux, tous les habitants de la planète,
l'humain pur.

Treize années, et le cataclysme d'une deuxième guerre
mondiale, séparent *Mon premier voyage*, de *Maalesch*, journal
d'une tournée de théâtre. Jean Cocteau a publié en 1949 ce
livre de raison, tenu au jour le jour, pendant trois mois
de vie ambulante, autour de la Méditerranée orientale,
Égypte, Turquie, Grèce. La contrainte, ici, ne vient pas
de la distance à parcourir en un temps limité. Elle est imposée par le travail du théâtre, les réceptions officielles, tout
le poids d'une existence représentative et la fatigue physique
qu'elle engendre. Une fois encore, Cocteau s'accommode de
cette contrainte, la dompte, aiguise dans la lutte contre
la fatigue, la fièvre ou le sommeil, ses dons fulgurants. *Maalesch*, je l'ai dit plus haut, approfondit (sans les surcharger)
les notes du premier voyage concernant l'Égypte et la Grèce.
Ce sont des lieux où le poète circule avec le sentiment d'être
accordé aux fantômes de ceux qui bâtirent temples et tom-
beaux, qui machinèrent ces décors pour des spectacles ini-
maginables. En contrepoint de ces visites aux terrains de
fouilles, et de cet archéologisme instinctif, le journal rend
compte des représentations données par la troupe française,
du jeu des acteurs, de la réaction des publics étrangers ;
de l'accueil réservé aux présentations et aux conférences
de Jean Cocteau lui-même.

Le charme de ces variations de ton, de climat social, est
extrême. L'auteur confère au présent éphémère et au passé
éternel le même degré de vie intense. La part la plus nouvelle
de *Maalesch* c'est la découverte d'Istanbul, si ancienne et si
jeune à la fois, et qui n'a plus eu la vedette dans notre littérature depuis Pierre Loti. Il semble que cette antécédence
amicale de l'auteur d' « Azyadé » ait incité l'auteur de *Maalesch*
(toujours si sensible à la camaraderie des vivants et des
morts) à chercher pour évoquer Loti et le passé d'Istanbul,

ses accents les plus personnels, les plus fidèles aux choses décrites, les plus prestigieux.

Revenons au Paris de 1936. Après la publication de *Mon premier voyage*, Cocteau n'abandonne pas le journalisme et tient une chronique régulière dans le journal « Ce Soir ». Ses articles « parisiens » s'efforcent à l'optimisme, à donner à une époque morose et déjà rongée d'angoisse le lustre de celle de « Carte Blanche ». Ils décrivent le spectacle permanent des rues de Paris, l'effort des théâtres, soutiennent les débutants comme Marianne Oswald et Charles Trenet. Les plus significatifs seront réunis à d'autres portraits d'acteurs publiés dans « Comœdia » (1941 à 1946) et composeront le recueil *Le foyer des artistes*. J'en admire la justesse du trait, mais surtout la qualité d'attention ; cet amour lucide pour le théâtre devrait servir d'exemple aux critiques dramatiques si susceptibles et si peu intéressés par ce que l'on propose à leur prétendu jugement !

En 1937, une jeune troupe monte l'*Œdipe Roi* contemporain de l'*Antigone* jouée chez Dullin. Michel Vitold incarne Œdipe et Jean Marais y fait ses débuts dans le rôle du chœur. Puis c'est la création des *Chevaliers de la Table Ronde* à l'*Œuvre*, pièce que nous avons analysée au moment de sa conception, antithèse et prolongement de la *Machine Infernale*.

J'ai dit que cette pièce, en dépit des inventions scéniques des plus ingénieuses et le rayonnement de Jean Marais dans le rôle de Galaad attend toujours une réalisation digne de sa complexité et de sa poésie profonde. Mais le caractère confidentiel des représentations de l'*Œuvre* n'était pas sans charme. Une minorité de spectateurs attentifs, en goûta, en comprit la leçon. Les autres, se méfièrent, boudèrent l'effort. *En France, c'est beaucoup moins le problème de l'art que le problème du public qui se pose... Je parle d'un public que nous avons de longue date, accepté comme le nôtre. Ce fameux public d'élite auquel nous donnons sans réserve le meilleur de nous-mêmes et qui s'imagine toujours que nous lui tendons des pièges et que nous voulons nous moquer de lui... Comment atteindre la foule ? Montrer notre travail aux petites places qui en veulent pour leur argent et qui aiment aimer ?*

Pour Jean Cocteau se pencher sur un problème, aboutit très vite à la recherche active d'une solution. Il écrit les *Parents terribles*, pièce destinée à dérouter l'élite paresseuse, à contredire l'opinion toute faite d'un Jean Cocteau auteur difficile, surtout à ennoblir un genre : le théâtre dit « de Boulevard ».

La tentative de *La Voix Humaine* avait remis à la mode un style direct et une scène un peu somnolente que la direction d'Édouard Bourdet venait justement de porter au premier rang de l'actualité parisienne. Il fallait aller plus loin, offrir à un théâtre sans alternance et représentant la même pièce tous les soirs, une œuvre dépourvue de tout prestige décoratif, qui eût l'air de parler la langue de tout le monde. L'accent devait être mis sur la passion des personnages, la dissemblance de leurs caractères, la fatalité des situations. Bref, c'était retrouver, par le chemin de la prose et sous le camouflage du quotidien, le mécanisme implacable des tragédies de Racine.

Je n'oublierai jamais la répétition générale des *Parents terribles*. Aussitôt levé le rideau des Ambassadeurs (dont le Directeur, Roger Capgras, avait accueilli la pièce refusée par Jouvet), le souffle de la passion nous balaya et aussi cet effluve mystérieux qui annonce une réussite totale. Toutes les répliques portaient, nous atteignaient au cœur. Comme tout cela : intrigue, personnages, acteurs, n'empruntait du « boulevard » que l'apparence ! Je ne fus pas long à comprendre que Jean Cocteau n'avait pas changé d'obsession. L'ordre anarchique de la mère-enfant était celui d'Antigone, l'ordre social de la tante Léo et de la jeune fille, celui de Créon. Entre les deux oscillait Michel, le fils, candide comme un jeune Œdipe, meurtrier involontaire, non cette fois-ci de Laïus, mais de Jocaste.

J'affirme que personne ce soir-là, dans la salle, ne songea à trouver « incestueux » les rapports de la mère et du fils. C'est la pureté de ses héros qui embrase la pièce de Cocteau. La mère, comme Antigone, est un personnage absolu. Que Michel grandisse, devienne un homme avec une vie personnelle, qu'il échappe à sa tendresse, au décor de la chambre où elle a cru *abolir le temps* : voilà ce qu'elle ne peut supporter. Elle se tuera pour rejoindre une réalité supérieure qui ignore la caducité, le changement. L'amour absolu, c'est l'Éternel opposé aux mutations terrestres. Ce n'est pas égoïsme, c'est vocation farouche à la part immuable de l'Être. Je me permets de traiter ici les *Parents terribles* dans la manière préconisée par *Essai de critique indirecte*, d'en dégager la morale qui se cache au cœur d'une admirable machine à émouvoir.

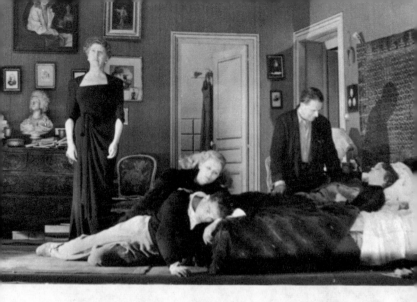

Deux cents soirs, le public applaudit la plus parfaite des œuvres théâtrales de Jean Cocteau. La critique fut en majorité laudative, la minorité étant composée de ces ennemis irréductibles qui, sciemment, faussent le sens des œuvres et des pièces qu'ils se gardent de lire ou d'écouter avec équité. Cette minorité aide parfois au succès ; elle sert aussi de prétexte à des rivaux peu honnêtes que le succès dérange. Le qualificatif « incestueux » permit au Conseil municipal de Paris d'obliger « Les Parents Terribles » à quitter en pleine vogue un théâtre lui appartenant. La vogue suivit la pièce aux « Bouffes Parisiens ». A la reprise sous l'occupation allemande, la même mauvaise foi employée par d'autres, interrompit le cours des représentations.

Les Parents terribles, navire admirablement gréé, triompha de tous les obstacles et continue aujourd'hui sa course glorieuse. Ce chef-d'œuvre scénique devait donner naissance à un chef-d'œuvre cinématographique en 1948. Nous choisissons d'en parler ici puisqu'en dépit du temps écoulé entre la pièce, le film et le métier de cinéaste acquis par Cocteau depuis le *Sang du poète*, c'est la perfection de l'interprétation des créateurs que l'auteur a voulu fixer par la pellicule. Voici ce qu'il dit du film dans ses *Entretiens autour du cinématographe* :

▲

« Les Parents Terribles » au Gymnase (de g. à dr. : G. Dorziat, J. Day, J. Marais, M. André, Y. de Bray)

Yvonne de Bray et Jean Marais dans « Les Parents Terribles »

Je dois admettre que Les parents terribles *sont, cinémato-graphiquement parlant, ma grande réussite. J'y ai, comme disait Barrès, « bouclé ma boucle ». Je souhaitais trois choses : 1° fixer le jeu d'artistes incomparables ; 2° me promener parmi eux et les regarder en pleine figure au lieu de les voir à distance sur une scène ; 3° mettre mon œil au trou de la serrure et sur-prendre mes fauves avec le télé-objectif. Je ne sais si je me trompe, mais il me semble qu'au lieu d'étaler l'œuvre, comme il m'était arrivé dans l'*Aigle à deux têtes (qui vient avant et dont nous parlerons ensuite) je la ramasse, je la concentre, et je coupe les innombrables « traditions » des artistes, c'est-à-dire les Ah ! et les Oh ! les tics et les rajouts inévitables au théâtre, lorsque les mêmes interprètes s'installent dans des rôles et les déforment comme un costume.*

La pièce reprenait donc, à l'écran, force d'écriture et ce noir d'encre qui se dilue aux feux de la rampe. Tout en me prome-nant à travers des chambres, je conservais l'atmosphère enfermée de la pièce. Je montrais ces couloirs d'orage qui ont hanté mon enfance et qui sont les rues des familles qui ne sortent jamais de chez elles. Il me faudrait m'étendre sur ces cinq acteurs qui sont pareils au vent d'Andersen se ruant dans la caverne. Je crois même que la perfection de leur jeu arrive à rendre ce jeu invisible et à restreindre les éloges qu'on leur décerne, la reconnaissance que je leur dois. Madame de Bray entrait d'un bond, et sans préparatifs, dans un rôle qui semble si contraire à son désordre. Il est incroyable de penser qu'elle n'y sacrifia rien et que quelques minutes suffirent à lui faire comprendre qu'on ne se meut dans un studio qu'en suivant des lignes à la craie et des cales. Je peux dire que j'ai mis cette lionne en cage et que son électricité n'en crépite qu'avec plus de force. La même difficulté ne se présentait pas en ce qui concerne Madame Dorziat dont la science dans la tempête est sans limites. Je priai Marcel André de rompre avec la mauvaise habitude du farniente de l'École cinématographique, de ne pas modérer ses gestes et s'il le fallait d'obstruer l'objectif avec ses mains. Mademoiselle Josette Day que sa beauté handicape vis-à-vis de nos juges fut parfaite de décence et de réserve. Elle avait tout d'un oiseau parmi des chasseurs. Si j'ai gardé Jean Marais pour la fin, c'est que son interprétation échappe à l'analyse. Non seulement elle est prodigieuse, mais elle l'est d'autant plus que n'ayant plus l'âge qu'il avait en créant le rôle, il y joua ce qu'il exécutait jadis instinctivement et tripla ses effets par un mélange de feu et de style.

D'abord Les Parents terribles *ne sont pas un film réaliste puisque je n'ai jamais connu aucune famille vivant de la sorte. C'est la peinture la plus imaginative qui soit. J'ai inventé cette famille de pied en cape parce qu'il me plaisait à l'époque de ma pièce, de faire un mélange tragi-comique et d'amener mes personnages, grâce à une intrigue de vaudeville, dans des situations que Roger Lannes compare à une bousculade d'incendie, lorsque chacun s'écrase dans les portes. L'idée de réalisme ne se forme dans l'esprit de nos juges qu'en face du spectacle des rues et des immeubles populaires. C'est ainsi qu'ils ont baptisé « néo-réalisme » des films où nos camarades italiens déploient une imagination analogue à celle des conteurs arabes. De même qu'Haroun-Al-Rachid se déguise pour surprendre des secrets, ils se déguisent en camera pour entrer dans des immeubles pauvres, grimper et descendre des escaliers, suivre des trottoirs, bref surprendre les moindres détails d'aventures aussi cocasses et irréelles que les aventures du songe. C'est une des raisons pour lesquelles j'ai tant insisté en tournant les* Parents terribles *afin que les épisodes n'en perdissent pas l'allure théâtrale pour adopter l'allure de film. Il s'agissait, je le répète, de serrer,*

*de nouer, de ramasser, sans tomber dans le réalisme dont on
revêt toutes les œuvres qui ne portent pas de costumes. Pour
moi, et sans l'ombre de paradoxe, la* Belle et la Bête, *l'*Aigle
à deux têtes *et* Orphée *sont des films réalistes au même titre
que* Les Parents terribles, *pour l'excellente raison que tout
film est réaliste puisqu'il montre les choses au lieu de les suggérer
par un texte. Ce qu'on voit on le voit. Cela devient donc vrai,
dans le sens où Gœthe employait le terme.*

On voit que Jean Cocteau, parlant de son film, donne
raison à mon analyse de sa pièce. Le naturalisme de l'un
et de l'autre n'est qu'apparent. Leur singularité profonde
les relie fraternellement à des œuvres d'une singularité *visible*
comme *Le Sang d'un poète* qu'il était nécessaire de contredire
par réaction.

Cette fameuse « réaction » dont nous nous efforçons
depuis le début de cette étude de souligner la régularité
et la fréquence, contraignit Jean Cocteau au temps de son
plus grand succès « public » à se retirer au Picquey sur
le Bassin d'Arcachon (où vingt ans auparavant il écrivait
ses romans et Radiguet les siens) et à commencer non une
nouvelle pièce, mais son livre le plus confidentiel, le plus
hautain, le plus réservé aux « happy-few ». Il l'appelle *La
fin du Potomak* puisque les personnages allégoriques qui
le hantent (et tout spécialement le Potomak dans son aqua-
rium sous la Madeleine) nous étaient apparus dans le *Potomak*
composé en 1913. *La fin du Potomak* s'écrit en 1939.

1913-1939 ! Comme un sismographe, l'esprit du poète
enregistre les secousses qui ébranlent le monde. Mais il les
enregistre *à l'avance* et les traduit indirectement ; habillant
l'angoisse animale de Fables oraculeuses, comme les devinettes
de la Pythie delphique.

Il y a aussi du retirement, je ne sais quelle désapprobation
impuissante de l'individu menacé et qui se réfugie au cœur
de son Moi le plus hautain, pour échapper, un instant encore !
à la montée des Barbares. Ainsi, *La fin du Potomak* se pré-
sente-t-elle sous la forme ambiguë d'un désespoir orné, d'un
rébus prophétique. L'humour y circule. On retrouve dans
le chapitre « l'appartement des énigmes » (qui est une pro-
menade à travers l'appartement du poète, alors place de la
Madeleine) la volonté d'observation des objets, la fixité
poussée jusqu'à l'hypnose, qui est une défense de Cocteau
contre la mort intérieure et qui lui permet d'atteindre à
une réalité secrète défigurée par l'habitude. Les meubles,

les tableaux, les bustes, tout ce qui paraissait familier, découvre sa vraie qualité de témoin fatal et de Cassandre du silence. La dernière partie : « Les ruines de Paris » est d'un prophétisme plus angoissant, puisque ce qui *aurait pu* avoir lieu en 1940 et fut évité, demeure possible aujourd'hui même !

La carrière de *La fin du Potomak* a été contrariée par le désastre de 1940. Mais son cheminement devait correspondre à son style. Texte chiffré, plus encore que livre à clef, il a gagné avec les années en puissance incantatoire. Écrire un tel livre c'était chanter dans le noir pour se donner du cœur. Chanter pour soi-même. Jean Cocteau qui répugne à l'égoïsme, décide, après la mobilisation, d'aider les autres à tromper l'angoisse que faisait peser l'immobilité de la « fausse guerre » en écrivant pour le théâtre (et surtout pour l'admirable Yvonne de Bray) une pièce sur les acteurs, le conflit de leur vie privée avec leur métier, l'ambiguïté de leur double nature. Ce fut une comédie de caractères : *Les Monstres sacrés*. Elle s'accompagna, à l'affiche, du sketch : *Le bel indifférent* écrit pour Édith Piaf.

Il faut, pour goûter *Les Monstres sacrés* avec impartialité, oublier les grands fantômes que sous ce qualificatif Jean Cocteau a évoqués dans *Portraits souvenir*. Les acteurs célèbres qu'il a mis en scène dans sa comédie n'ont qu'une ressemblance lointaine avec les grands fauves du type Sarah Bernhardt et de Max. Ils sont plus humains, plus attendrissants. Je ne suis pas certain que ce registre « modéré » convienne tout à fait à l'auteur des *Parents terribles*. Il n'autorise que l'exercice de la gentillesse et de la virtuosité. Mais je le répète, les *Monstres sacrés* ne se voulaient qu'un divertissement pendant les heures d'angoisse. Ce divertissement était suffisamment bien agencé pour survivre aux circonstances de sa création. On l'a repris après la guerre, en tournée, avec succès.

En 1940, l'aggravation des événements interrompit sa carrière. L'exode amena Jean Cocteau jusqu'à Perpignan. Il y acheva une nouvelle pièce : *La machine à écrire* qui lui avait été inspirée quelque temps auparavant par une affaire de lettres anonymes, un scandale de province, qui s'était déroulé à Tulle. Comme Stendhal pour « Le Rouge et le Noir », Cocteau partit d'un fait divers pour donner une armature à ses opinions intimes sur l'hypocrisie de certains milieux, la mythomanie et la révolte d'une jeunesse condamnée à l'oisiveté, à l'étouffement provincial. L'auteur y ménagea pour Jean Marais dont il connaissait le registre étendu, un double rôle, celui de deux frères jumeaux aussi dissemblables moralement, que fraternels d'aspect. Le mensonge, la suspicion, la méchanceté d'une petite ville où les passions ont plus d'intensité qu'à Paris, devaient dans l'esprit de Cocteau, créer par des moyens nouveaux un climat aussi tendu que celui des *Enfants terribles*.

Or, ce climat est celui même que Cocteau trouve au Paris occupé qu'il rejoint à la fin de 1940. *La machine à écrire*, montée par Jacques Hébertot déchaîne, le soir de la répétition générale, un scandale d'aussi mauvais aloi que celui qui interrompit le succès des *Parents terribles* en 37. Mais la tartuferie est plus déclarée en 1940 et plus dangereuse pour la personne de l'auteur et celle de son principal interprète, Jean Marais. Celui-ci se collette avec le journaliste Alain Laubreaux, auquel ses relations avec les autorités d'occupation confèrent un redoutable pouvoir. La pièce fut interdite pour « immoralité ». Elle ne devait prendre sa revanche qu'en 1956, à la Comédie-Française, dans une version remaniée, moins mélodramatique.

Mais revenons au Paris occupé. Jean Marais monte aux Bouffes Parisiens « Britannicus », mis en scène, costumé et décoré par lui. Son interprétation de Néron, singulière et de grand style, obtient un triomphe auprès du public en dépit de la presse toujours hostile. Une reprise des *Parents terribles* au Gymnase déchaîne une fois de plus les passions partisanes. Chaque représentation dégénère en émeute. Par ordre des Allemands, la pièce est retirée de l'affiche.

Jean Cocteau se réfugie dans la poésie pure. Je suppose que sa volonté de transfiguration a été décuplée par la contrainte du couvre-feu, l'étroitesse de son appartement du Palais-Royal. Il compose des pièces très mystérieuses, d'un extrême raffinement de rythme et de syntaxe. La rime y est à l'honneur, le travail des strophes ressemble aux entrelacs des orfèvres de la Renaissance. Ces poèmes paraissent sous le titre : *Allégories*. Au centre du volume, Jean Cocteau a placé l'*Incendie* écrit à la veille de la guerre. Vaste chant lyrique aussi « déroulé » que les autres poèmes sont « enroulés » et serrés autour de leur contenu magique (Cherchez Apollon, Le Casque de Lohengrin). *L'Incendie* oppose le sommeil de la jeunesse à la vigilance du poète dont les antennes

frémissent à l'approche du cataclysme qui va s'abattre sur
le monde et exiger le sacrifice de cette jeunesse endormie.
La cadence procède de *Plain-Chant* et la situation des héros.
Mais l'une et l'autre sont perturbées par la menace extérieure.
Ce ne sont plus les rêves que redoute le poète, ni la fausse
mort du sommeil. Ce sont les cauchemars « à vivre » dans
quelques instants. L'univers devenu fou s'apprête à allumer
son propre bûcher, comme Sardanapale. Derrière la vitre
de la chambre, havre suprême, le veilleur « en armure de
neige » redoute la venue de l'aube qui va marquer la fin
des temps.

L'Opéra monta « l'Antigone » mise en musique par Arthur
Honegger et demanda à Cocteau de composer le décor,
les costumes et la mise en scène. Tâche périlleuse que
le poète accomplit dans un style admirable. Les mai-
sons blanches de Thèbes s'édifiaient sur une toile de fond
bleuâtre qui évoquait la lumière *réelle* de Grèce. Des bou-

langers, des cyclistes, figurant l'agitation faubourienne de la cité rapprochaient de nous le drame antique sans amoindrir sa force liturgique. Les protagonistes, eux, observaient un hiératisme précis et fatal comme les personnages du théâtre chinois.

Les représentations d' « Antigone » connurent un grand succès sans que la presse diminuât pour autant ses attaques envers le responsable d'une telle réussite scénique.

A ce moment, il semble que la hargne dangereuse dirigée contre lui exaspère chez Jean Cocteau sa faculté créatrice et le souci de maintenir un scintillement au cœur des ténèbres. Se ralliant aux grands exemples de sa race, à la grandeur *déclarée*, l'idée lui vint d'offrir sur la scène du Théâtre Français, où Corneille et Racine faisaient des salles combles, une tragédie en vers, qui prouvât la maintenance d'un style et d'une musique verbale faussement considérés comme l'apanage d'une civilisation révolue. L'administrateur, Jean Louis Vaudoyer, accueillit avec enthousiasme *Renaud et Armide*. Christian Bérard fut chargé du décor et des costumes, Georges Auric de la musique et l'auteur de la mise en scène. La troupe de la Comédie-Française permit de réunir une distribution hors de pair : Marie Bell dans le rôle d'Armide l'enchanteresse, Mary Marquet dans celui d'Oriane, fée et suivante d'Armide, Maurice Escande dans le rôle de Renaud, roi de France et Jacques Dacqmine dans celui d'Olivier, écuyer de Renaud.

Jean Cocteau a écrit dans la préface de sa tragédie :

Je remarquai combien le drame de l'Europe accélérait les choses de l'esprit et que l'époque allait venir où loin de contredire la sottise, il s'agirait de contredire l'intelligence. Mais on ne peut contredire l'intelligence que par l'emploi lyrique des sentiments.

L'emploi lyrique des sentiments ne pouvait être mieux illustré que par une pièce d'amour qui « reprenant à la musique certains droits » comme le souhaitait Mallarmé, fut écrite à la façon d'un opéra verbal, avec des « airs » ménagés pour les tragédiens, l'enchantement des rimes, le glissement ou le choc des images.

Renaud et Armide, ressuscitait le vers de théâtre.

Le vers de théâtre ! Ne s'agirait-il pas de nouer ensemble les styles classique et romantique, bref de trouver son propre style sur une base faite des hautes découvertes précédentes ?

Les grandes tirades de la tragédie de Cocteau, le célèbre : Fil, fil, fil d'Armide ou le lamento de Renaud, s'adressant aux jardins enchantés, sont d'allure romantique. Le cadre de l'œuvre est classique, non par calcul mais par fatalité.

Le seul hasard, si l'on peut parler de hasard chez un poète, me conduisit, sans le moindre calcul à l'unité de lieu, de temps et d'action. Quatre personnages. Un décor. Une journée. La tragédie se déroule en quelque sorte d'une traite et les répliques s'enchaînent d'acte en acte. Je ne voulais pas m'inspirer des anciens, ni suivre une trame connue. Je n'empruntais donc à la légende que les noms de mes personnages. J'inventai tout le reste.

La parenté de *Renaud et Armide* avec les *Chevaliers de la Table Ronde* n'a jamais été soulignée. Pourtant, les « diableries » des Chevaliers se retrouvent dans les agissements de la fée Oriane et ceux d'Armide exerçant son pouvoir magique pour retenir Renaud. L'amour du Roi français pour l'enchanteresse rappelle celui de Lancelot pour Guenièvre. Il est remarquable que la disparité qui fait le charme des *Chevaliers* se résolve avec *Renaud et Armide* dans une harmonie moirée, plus rare peut-être. Cette tragédie chantée est une admirable méditation sur l'amour. Elle transcende le conflit habituel des caractères de l'amant et de l'amante en établissant entre le roi et la magicienne une différence de *règne*. Armide est une immortelle tentée par la condition terrestre. Renaud est un mortel raisonnable, arraché à ses limites par la grâce d'un amour surnaturel.

Ainsi les amants, mieux que par des embûches quotidiennes, des défenses psychologiques ou sociales, sont-ils séparés par la loi qui régit leurs atomes. Les rayons qu'ils lancent l'un vers l'autre traversent des solitudes déformantes. On ne s'est jamais fait signe à la fois de si loin et de si près. Jean Cocteau a donné avec *Renaud et Armide* une forme mythologique à sa hantise des distances et des vitesses qui lui inspira *Orphée* et plus tard le *Journal d'un Inconnu*.

Le sacrifice final d'Armide qui accepte d'être embrassée par Renaud afin de rendre celui-ci à son destin terrestre, rappelle celui du Sphinx pour Œdipe : mais il est plus absolu. Car Armide est chassée à jamais de l'éternel. Elle choisit la plus morte mort. Son destin se consomme en une seconde.

Et Renaud, peut-être après plusieurs années, ne se souviendra d'elle que comme d'un mirage, d'une vapeur vite dissipée sur la mer.

La présentation scénique de *Renaud et Armide* fut admirable. Christian Bérard, merveilleusement fidèle au style de la pièce « trouvé sur la base des hautes découvertes précédentes » s'était inspiré pour son décor, de la grotte des Bains d'Apollon à Versailles ; pour ses costumes des peintres

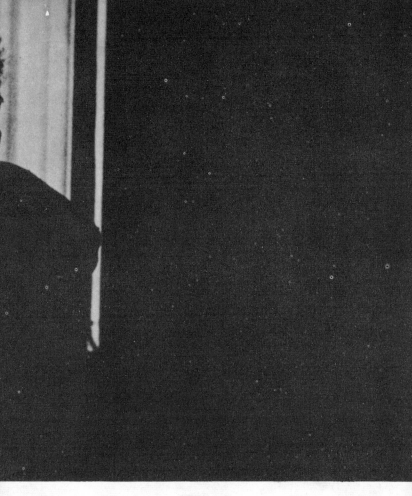

alémaniques Baldung Grien et Manuel Deutsch, mais leur
conception et leur réalisation portait sa griffe de grand
peintre moderne. La mise en scène de Cocteau avait la
solennité et la précision d'un mécanisme d'horlogerie astrale.
« Le quatuor à cordes vocales » rompu aux difficultés de
Corneille, de Racine, chantait le texte aux multiples variations
de ton et de rythme avec une souplesse inégalable. Le succès
fut très grand, l'émotion profonde et durable.

« *LA DIFFICULTÉ D'ÊTRE...* »

Après *Renaud et Armide* qui rénovait la plus oubliée, la plus décriée des formes, la tragédie en vers, sur la plus officielle des scènes, Jean Cocteau revint au moyen d'expression abandonné par lui depuis *Le Sang du poète*, le cinématographe, adultéré, vulgarisé par son succès même.

Toujours scrupuleux, soucieux d'honnêteté artisanale, le poète se familiarisa d'abord avec les techniques nouvelles en participant comme dialoguiste et comme interprète au film de Serge de Poligny : *Le baron fantôme*.

Puis, secondé respectueusement et efficacement par Jean Delannoy, Cocteau écrivit, dirigea, réalisa : *L'Éternel Retour*. L'ambition était périlleuse d'actualiser la plus ancienne et la plus illustre des histoires d'amour : celle de Tristan et Yseult ! Mais il s'agissait bien là, comme avec *Renaud et Armide*, d'imposer l'emploi lyrique des sentiments !

*Après Renaud et Armide où j'ai inventé le mythe en ne gardant que le nom des personnages célèbres, j'ai voulu pour l'Éternel Retour ne changer que le nom des personnages et copier un célèbre mythe : celui de Tristan et Yseult. L'*Éternel Retour, *ce titre emprunté à Nietzsche veut dire ici que les vieux mythes peuvent renaître sans que leurs héros le sachent.*

On devine combien il est difficile de ne pas perdre l'équilibre dans une entreprise qui consiste à doser le monde moderne et la fable. Gœthe oppose la vérité à la réalité. Pour cette méthode lyrique les lithographies de Faust, d'Eugène Delacroix, pouvaient lui servir d'exemple.

Le cinématographe me semble être l'arme type, lorsqu'un poète vise un but de familiarité quotidienne, d'insolite, de sublime sérénité dont le mélange est le propre du rêve.

Le succès du film fut prodigieux. C'est que tous les buts que se proposait l'auteur y sont atteints. La vérité et le rêve, le quotidien et le surnaturel s'y enlacent et tressent une admirable guirlande d'images, hautaine et amère comme le laurier. *L'Éternel Retour* apportait à la jeunesse, non seule-

▲

« *L'Éternel Retour* »

ment un émerveillement, mais un secours. La preuve était faite que le grand public peut être spontanément accessible à la grandeur et ne réclame pas du créateur un « arrangement » avec lui. D'ailleurs, Jean Cocteau me confiait dans ses Entretiens autour du cinématographe : « *Ce n'est pas à nous d'obéir au public qui ne sait pas ce qu'il veut, mais d'obliger le public à nous suivre. S'il refuse, il faut employer les ruses : mirages, vedettes, décors et autres lanternes magiques, propres à intriguer les enfants et à leur faire avaler le spectacle. Ensuite, ils le digèrent. S'ils ne l'éliminent pas instantanément, le poison bénéfique entre dans l'organisme. Peu à peu, le mal de sottise arrive à s'atténuer et dans certains cas, assez rares, à se guérir.* La réussite de l'*Éternel Retour* devait permettre à son auteur de pousser son offensive à ses extrêmes limites avec les films : *La Belle et la Bête, Les Parents terribles, Orphée.*

La guerre terminée, Jean Cocteau revint au théâtre et fit représenter chez Hébertot : *L'Aigle à deux têtes* avec Edwige Feuillère et Jean Marais dans les principaux rôles. Pièce aristocratique, Gobinienne, qui met en scène des héros exceptionnels. Rien de plus insolite dans une époque où le « laisser aller » qui suit les grandes périodes tragiques, reprenait ses droits. On sait que pour le personnage de la Reine, Jean Cocteau s'est inspiré d'Elisabeth d'Autriche, l' « Impératrice de la Solitude » chantée par Barrès et qui fut poignardée par un fou, alors qu'elle était déjà morte au monde. Cocteau imagine sa Reine, elle aussi morte au monde, après l'assassinat de son jeune mari, et qui attend de l'Inconnu le coup de grâce. L'Inconnu paraît un soir d'orage, sous la forme d'un poète anarchiste, Stanislas, qui ressemble comme un frère au roi tué. Elle et lui s'aimeront, mais leur amour n'est que la marque de leur double mort. Il s'empoisonne pour la rendre à sa vocation royale et elle se servira de cet agonisant pour recevoir le coup de grâce désiré.

Ma pièce est écrite en forme de fugue. Elle s'ouvre sur le thème de la Reine. Au second acte le thème de Stanislas prend sa place et les deux thèmes se résolvent pour s'emboîter et lutter ensemble jusqu'à l'accord final de la double mort.

Pièce hautaine et douloureuse, où le dialogue surtendu ne cède jamais à l'inflexion « musicale ». Ce n'est pas « un opéra verbal » comme *Renaud et Armide*, mais une sorte d'échafaudage incendié. L'action y prédomine. Supérieu-

Edwige Feuillère et Jean Marais dans « L'Aigle à deux têtes ».

rement interprété dans des décors de Baurepaire et Wakewitch et des costumes de Bérard, *L'Aigle à deux têtes* surprit l'élite et la critique. Cocteau s'est expliqué sur cette attitude à propos du film qu'il tira plus tard de sa pièce.

L'Aigle à deux têtes, *s'opposait au théâtre de* paroles *et au théâtre de* mise en scène. *Je ramenais le public sans l'ombre de ménagements, au* théâtre d'actes. *Actes qui empêchent l'ennui que la plupart de nos spectateurs prennent pour le sérieux. On les avait mis à l'école. Il me fallait les en sortir. Vous me direz que les élèves adorent le tohu-bohu de la sortie des classes, mais n'oublions pas que dans l'école dont je parle, chaque élève observait l'autre du coin de l'œil et ne voulait pas paraître un cancre.*

*Cette classe menaçait donc de s'éterniser, de prendre ses habitudes
et de considérer la récréation comme un plaisir indigne d'elle.*

Bien que le film ait été tourné après *La Belle et la Bête*
nous choisissons d'en parler ici. Ce qui a dérouté la plupart
des critiques de cinéma à sa présentation (et non pas le
grand public) fait à mon avis l'originalité de l'œuvre. En
transposant son drame de la scène à l'écran, Cocteau s'est
senti obligé à des parenthèses et des sorties, à des ouvertures
sur la campagne. On a cru à du remplissage, alors que l'auteur demeurait fidèle au caractère de la reine qui est une
errante, une romantique. La caméra permettait de la suivre
dans ses ambulations et aussi de nous faire accéder au monde
féerique et cruel d'une cour régie par l'étiquette. Le film
échappait aux lois strictes de « pièce d'actes » pour gagner
les dimensions du roman.

Mais je crois surtout que l'élégance sans défaut du film
dans ses moindres détails a choqué une élite ignare qui se
fait des personnes royales une idée à sa mesure.

*Notre faute à Bérard et à moi, fut d'être trop vrais, sans
la moindre vérité historique. Les gens ne savent plus rien d'une
reine. Ils s'en forment une idée conventionnelle, alors que le
vrai, seul, importe. Pour ne donner qu'un détail on nous a
maintes fois reproché dans les articles, le lit de cuivre de la
Reine, si contraire aux lits empanachés de Parade d'amour,
alors que ce lit était celui de la reine Victoria dans sa jeunesse.*

Le film l'*Aigle à deux têtes* n'a été tourné qu'en 1948.
Dès 1945, avant même la représentation de la pièce [1] Cocteau
avait tourné la *Belle et la Bête* d'après le conte de Leprince
de Beaumont ; la musique était, comme toute celle des
films de Cocteau, de Georges Auric, les décors et les costumes
de Christian Bérard. Cette œuvre luxueuse au sens profond
du mot, j'imagine qu'elle s'est imposée au poète par réaction
contre les restrictions, l'austérité des années de guerre.
L'indigence matérielle était encore fort grande au moment
du tournage. Ces difficultés quotidiennes surmontées avec
le génie français « de la débrouille » et la bonne entente
d'une équipe, le tourment supplémentaire d'une maladie
de peau ravageant l'auteur, ont été consignés jour par jour
dans un ouvrage singulier : *Le journal de la Belle et la Bête.*
Cocteau l'a écrit dans des conditions presque aussi doulou-

---

1. Écrite de 1945 à 1946.

reuses qu'*Opium*. Plus objectif que celui-ci, plus soucieux du détail, le journal est une louange de l'artisanat, un bréviaire du courage. Voici peut-être l'illustration la plus évidente à retenir pour un « Cocteau professeur d'énergie » que l'on écrira bien quelque jour.

Le film, d'une beauté plastique extraordinaire, échappe lui aussi au vieillissement habituel des œuvres cinématographiques, non, comme on pourrait le croire, par sa féerie intemporelle, mais par le réalisme et le style hollandais choisis par Cocteau et Bérard pour lutter contre le « vague ». C'est aussi la vérité humaine de Jean Marais sous le masque

de la Bête qui évite au film « poétique » le péril du décoratif.
La Belle et la Bête a été, depuis le *Sang d'un poète*, la première
œuvre cinématographique réalisée entièrement par Cocteau.
Ce n'est pas le lieu ici d'en étudier les innovations techniques,
les trouvailles de langage qui étonnent les spécialistes.
Retenons simplement ceci qu'un tel film doit servir à ceux
qui croient naïvement la personnalité d'un artiste liée à
une mythologie et à des accessoires particuliers choisis une
fois pour toutes. Cocteau et Bérard sont présents tout entiers
dans une histoire qui n'est pas du premier, un style de peinture Vermeerien qui n'est pas du second. Un vrai créateur doit,

comme Gœthe, être Protée et s'aventurer à travers toutes les métamorphoses.

Épuisé par le travail de son film et la maladie étudiée dans le journal, Jean Cocteau partit pour la montagne. Il espérait s'y reposer complètement. Espoir vite déçu, car le démon de l'activité créatrice allait fondre sur le convalescent et le contraindre à un nouveau travail. Ce travail devait prendre, bien entendu, l'apparence du plus aimable laisser-aller. Traqué à Morzines par la clientèle de boutiquiers enrichis qui peuple son hôtel, le poète qui devait *renier l'esprit et vivre en boule* n'a de cesse de converser avec nous, ses lecteurs.

Avec qui d'autre converserais-je ? Ces hôtels sont le réceptacle d'une société neuve qui gagne de notre poche et imite un luxe que lui apprirent les films et les journaux. Il en résulte ce tohu-bohu d'enfants qui galopent entre les tables et dont les familles ne savent pas qu'il en existe de bien élevés. Devant les portes, les dames nous cèdent le pas. On y reconnaît l'habitude de reconduire la clientèle dans de très petites boutiques. Ces messieurs et dames circulent sous l'aspect moyenâgeux des uniformes sportifs. Ils chaussent les skis, grimpent les pentes et se cassent glorieusement les jambes. Je m'isole le mieux possible, marche dans la neige, m'enferme dans ma chambre et me venge sur cette feuille de ne pouvoir me livrer au seul sport qui me plaise, que 1580 appelait conférence et qui est la conversation.

La difficulté d'être est un recueil de confidences, de souvenirs, de pensées morales, de portraits d'une richesse merveilleuse, dont la variété conserve tout le chatoiement, le feu, des récits parlés de son auteur. Ce n'est pourtant pas le style oral. Aucune négligence ni ellipse, qui sont des politesses dans la conversation. Le ton est soutenu sans enflure, familier sans modernisme. *La Difficulté d'être* a cette qualité des livres civilisés de se présenter à la fois comme héritier et novateur. L'héritage déclaré vient des écrivains du XVIIIe siècle. Le titre a été emprunté à Fontenelle qui, centenaire et près de mourir, répondit à son médecin lui demandant comment il se trouvait : « Bien. J'éprouve seulement une certaine difficulté d'être. » La nouveauté est partout ailleurs. Dans la matière et dans le trait, dans l'angle de vision et la morale. Jean Cocteau, à l'âge de Stendhal écrivant la préface d'Henri Brulard, se considère dans un miroir qui n'est ni complaisant ni cruel. Il dresse le répertoire de ses démarches, de ses amitiés, de son activité créatrice, de ses obsessions. Tous les thèmes du *Secret professionnel* et de ses autres ouvrages de poésie critique se retrouvent enrichis d'une expérience plus complète, revêtus d'une coloration dorée qui est le privilège de l'automne. Les réflexions morales abondent sur la mort, la douleur, le gouvernement de l'âme et cette ligne interne qui commande à la fois la vie et l'œuvre d'un créateur.

La Difficulté d'être, véritable manuel de savoir-vivre, de savoir écrire, de savoir penser est devenu le livre favori des meilleurs jeunes de ce temps. Il joue auprès d'eux le rôle dévolu autrefois à « Un Homme Libre » de Barrès.

La Difficulté d'être, pas plus que son auteur, n'est pessimiste. Cocteau dit souvent : *Je suis un pessimiste optimiste*. Son optimisme a la solidité du rocher que les vagues attaquent, mais qui scintille au soleil dès que le flux s'est retiré.

Un peu avant son départ pour la montagne, Jean Cocteau, au plus aigu de ses souffrances, avait composé un poème : *La Crucifixion*.

C'est, depuis *L'Ange Heurtebise* l'œuvre poétique, non la plus importante (*Léone* de 1945 est plus étendue), mais la plus étonnante de notre auteur. Je parlerai plus loin de *Léone* sur qui *La Crucifixion* a jeté pour moi un peu d'ombre. Dans ce poème intense, l'abstrait pétrifié, la douleur physique prise au piège des mots et sans dessein figuratif, rejoignent des chefs-d'œuvre plastiques tels que le Dévôt Christ de Perpignan et certains tableaux de Mantegna. La ressemblance n'est qu'accidentelle. Je la souligne comme un des privilèges concédés aux seuls *héritiers-novateurs*.

L'Ange Heurtebise était le « procès verbal d'un coup de foudre ». L'inspiration fondait du ciel sur le poète. Ici le mouvement est inverse. Le poète expulse la douleur qui le ravage et cet incendie, s'évadant de sa chair, se statufie dans l'espace en forme d'épouvantail sacré. Miracle du langage à son extrême degré de concision. Le poème *Léone* publié un an avant *La Crucifixion* est aussi horizontal et déployé que l'autre est vertical et elliptique. C'est qu'il épouse l'allongement d'un dormeur et les méandres d'un rêve.

Le poète venait de faire représenter *Renaud et Armide* à la Comédie-Française et subissait l'obsession du silence sur

Paris occupé. Son malaise prit la forme d'une créature surnaturelle, *Léone*, qui l'obligea, sans qu'il pût bouger de son
lit, à la suivre dans sa marche somnambulique. Cette Léone
traverse Paris endormi, mais aussi l'espace insituable où les
héros des grandes légendes Tristan et Ysolde, Renaud et
Armide se consument d'amour pour l'éternité. Elle accède
au pays sidéral où les astres se combattent. Elle marche

... sans démordre
jusqu'à celui dont elle exécute les ordres.

Bref, *Léone* est une nouvelle incarnation de la Mort d'*Orphée*
qui est aussi la muse à laquelle le poète ne saurait désobéir.
Ce long poème met au service de l'obscur toute l'éloquence
et la solennité que l'opéra verbal *Renaud et Armide* emploie
dans la clarté réclamée par une œuvre de théâtre. L'égalité
du souffle, le constant bonheur des images et des rimes,
la noblesse spectrale de cette nuit de Walpurgis d'esprit
gœthéen placent *Léone* au premier rang des créations de son
auteur [1].

J'ai beaucoup d'admiration pour cette œuvre et si je lui
préfère *La Crucifixion*, ce n'est que par obéissance à un goût
tout personnel de la concision. *Léone* prouve la multiplicité
des dons formels de Jean Cocteau qui peut, comme il l'a
écrit, chanter de vingt façons en demeurant fidèle à sa rigueur.
Léone, pas plus que *Crucifixion*, n'est figurative. Et pourtant
c'est bien elle que j'ai cru reconnaître des années plus tard
sous les traits de la Judith que Cocteau dessina pour les
Gobelins. Sur la tapisserie, la meurtrière d'Holopherne
s'avance parmi les soldats endormis, éclairant sa marche de

---

1. Pour éclairer cette parenté de l'esprit de Cocteau avec celui de Gœthe,
que j'ai plusieurs fois évoquée au cours de ces pages, je me permettrai de
citer cet extrait d'une communication de Thomas Mann faite en 1932 à
Francfort à l'occasion du centenaire de la mort de l'auteur de Faust. « Nous
avons, écrit Gœthe, le profond et ingénieux désir sans cesse renouvelé,
d'exprimer aussi directement que possible, par le verbe, *les sentiments
éprouvés, les choses vues, l'expérience acquise, nos imaginations et nos raison-
nements.* »
« Il n'y a peut-être pas d'aveu où la passion de l'écrivain et le désir de
l'exactitude et de la beauté qui domine sa vie se manifestent plus énergi-
quement et l'on y distingue également la discrimination entre l'exactitude
critique et l'exactitude plastique. C'est cette dernière qui préoccupe Gœthe
comme elle préoccupe toujours l'écrivain poète. Chez lui, l'abstraction
même est, au fond, plastique. Il y a une exactitude dont l'acuité et la précision
présentent un caractère critique ; la sienne n'offre rien de semblable. Elle
est au contraire *l'essence précise des choses.* »

la tête coupée qu'elle tient comme une lanterne, *immobile à grands pas*, du pas même de *Léone*.

Quand *La Difficulté d'être* parut en librairie en 1947, la pièce *L'Aigle à deux têtes* était représentée au Théâtre Hébertot. Un ans plus tard, Cocteau revenait au cinéma avec deux films tirés de ses pièces : *Les Parents terribles* et *L'Aigle à deux têtes* que j'ai analysés plus haut.

Je voudrais seulement souligner au sujet des *Parents terribles* que leur « vérisme » interne, aussi peu réaliste que le soi-disant néo-réalisme italien a choqué et déçu cette intelligenzia retardataire dont *Le sang d'un poète* est le « tarte à la crème » depuis vingt ans. (N'oublions pas que ce premier film poétique avait, à sa sortie, déplu à la même intelligenzia.) Ce ne fut donc pas pour suivre une mode que Cocteau tourna *Les Parents terribles*, mais, comme toujours, par réaction.

Nous dûmes contredire la singularité visible par celle, invisible, qui pouvait dangereusement se confondre avec une marche arrière. Les Parents terribles *furent dans leur genre et en leur temps une audace analogue à celle du* Sang d'un poète. *Plus audacieuse, dirais-je, puisque moins patente et plus difficile à voir.*

Précédant de quelques mois ces deux films entièrement réalisés par lui, Cocteau avait supervisé le « Ruy Blas », de Pierre Billon. L'adaptation de la pièce de Victor Hugo, les dialogues, ont la grâce, l'élégance d'un dessin de maître d'après un maître. Le film fut mal compris par l'élite, mais fort aimé du grand public qui se divertit à ce « western » de qualité.

Ce ne fut qu'en 1950 que Jean Cocteau revint tout entier au cinéma avec *Orphée*.

En vérité, *Orphée* résume vingt années de l'œuvre de Cocteau, boucle toutes ses recherches précédentes par un moyen d'expression très dangereux, immédiat.

Ce fut en jouant le jeu complètement, en évitant toute accommodation avec ce que l'on nomme « le genre grand public » que le poète a pu doter le cinématographe d'un chef-d'œuvre incontesté, applaudi par les spectateurs du monde entier.

Ma démarche morale étant celle d'un homme qui boite un pied dans la vie et un pied dans la mort, il était normal que j'en arrivasse à un mythe où la vie et la mort s'affrontent. En outre, et je vous en parlerai longuement, un film était propre à mettre en œuvre les incidents de frontière qui séparent un monde de l'autre. Il s'agissait d'user de trucs, de telle sorte que ces trucs ressemblassent aux chiffres des poètes, ne tombassent jamais dans le visible (c'est-à-dire dans une inélégance) et apparussent comme une réalité, ou mieux, comme une vérité aux spectateurs. Vous comprendrez que cela m'obligeait à vaincre les facilités que donne le cinématographe dans l'ordre du merveilleux, à rendre ce merveilleux direct, à n'employer jamais le laboratoire et à ne prendre dans la boîte que ce que je voyais et voulais faire voir aux autres.

Je ne raconterai pas le film que tout le monde a vu ou verra (car il est devenu l'un des succès permanents des ciné-clubs). Je signale en passant que le cheval savant de la pièce du même nom a été remplacé par l'automobile de la princesse (la Mort) conduite par Heurtebise qui, de vitrier, est devenu chauffeur. C'est la radio de la voiture qui transmet les messages illogiques dont la poésie brute fascine Orphée, poète officiel, mari d'Eurydice, avant sa rencontre avec la Mort et sa descente aux enfers décrits dans le film sous le nom de « la zone ».

Tout est dit dans le film. La Zone est faite du souvenir des humains et de la ruine de leurs habitudes. Elle n'empiète sur aucun dogme. Elle est un no man's land entre la vie et la mort. La seconde du coma, en quelque sorte. Heurtebise est un jeune mort au service d'un des innombrables fonctionnaires de la Mort.

ORPHÉE - *Tu es toute-puissante.*

LA PRINCESSE - *A vos yeux. Chez nous, il y a des figures innombrables de la mort. Des jeunes, des vieilles, qui reçoivent des ordres.*

ORPHÉE - *Et si tu désobéissais à ces ordres ? Ils ne peuvent pas te tuer. C'est toi qui tue.*

LA PRINCESSE - *Ce qu'ils peuvent est pire.*

ORPHÉE - *D'où viennent ces ordres ?*

LA PRINCESSE - *Tant de sentinelles se les transmettent que c'est le tam-tam de vos tribus d'Afrique, l'écho de vos montagnes, le vent des feuilles de vos forêts.*

ORPHÉE - *J'irai jusqu'à celui qui donne des ordres.*

LA PRINCESSE - *Mon pauvre amour... il n'habite nulle part. Les uns croient qu'il pense à nous, d'autres qu'il nous pense. D'autres qu'il dort et que nous sommes son rêve... son mauvais rêve.*

COCTEAU

*La chose est claire. Ces personnages sont aussi loin de l'Inconnu
que nous le sommes, ou presque. Et cela démontre que les moto-
cyclistes n'en savent pas plus que les agents de la route sur
les décisions ministérielles. Les actes de la princesse qui animent
le drame viennent de son propre chef et représentent le libre
arbitre. Une chose doit être. Elle est puisque ce qui nous arrive
peu à peu ne forme en réalité qu'un seul bloc. Tout le mystère
du libre arbitre tient à ce que cette chose qui est, semble pouvoir
ne pas être, comme l'illustre, l'étonnante phrase du Christ :
« Mon Dieu pouvez-vous éloigner de moi ce calice ? » Ce qui
laisserait entendre que ce bloc du temps qui ne nous est sensible
qu'en perspective, est fait de volumes impensables et d'une
foule de possibilités conjointes. Le Christ cherche à détourner
de lui l'Inévitable. De même, la princesse ose se substituer au
destin, décider qu'une chose pourrait être au lieu qu'elle soit,
et joue le rôle d'une espionne amoureuse de l'homme qu'elle
doit surveiller et qu'elle sauve en se perdant. De quelle nature
est cette perte ? Quel est le châtiment auquel elle s'expose ?
Cela m'échappe et ne me regarde pas plus que les rites de la
ruche ou de la termitière, rites funèbres dont les entomologistes
n'ont jamais résolu l'énigme. Il était capital que, dans ma
logique, certaines données manquassent et ouvrissent des brèches
sur le monde inaccessible que l'honneur des hommes est de
concevoir.*

On s'aperçoit par ces confidences de Jean Cocteau que
rien, dans un film comme *Orphée*, n'a échappé à la vigilance
du poète et ne signifie malgré lui. Ajoutons que la mort
de Bérard (qui avait préparé les maquettes) laissait le capitaine seul à son bord.

*Sa mort m'a laissé seul pour le travail d'Orphée, après les
préparatifs que nous en fîmes ensemble à la campagne. C'est parce
qu'il était impossible de confier à un autre cette zone qu'il
voulait, comme moi, sans lyrisme et anti-dantesque, cette zone,
dont je possède une suite de gouaches qui s'apparente aux rues
du rêve de la Halle aux vins que je tournai dans les ruines
de Saint-Cyr. Et en effet, dans mon film, les lieux de mort ne sont
pas les lieux de la Mort et je fus très frappé par la phrase
d'un Père Blanc me disant que, comme il arrive dans l'immédiat
du rêve, cette zone précédait la mort et figurait les quelques
secondes du coma. Chose frappante.*

*Lorsque Bérard se préoccupait d'Orphée, cette préoccupation
se portait toujours sur le personnage qui représente une des*

Christian Bérard

innombrables figures de la mort. Il cherchait le moyen de rendre cette mort élégante (dans le sens le plus grave du terme) et disait en riant : « Tout ce qui touche à la mort est coûteux et j'en sais quelque chose puisque ma mère est née Borniol. » La mort de Bérard est irréparable. C'était le seul à comprendre que la féerie s'accommode mal du vague et que le mystère n'existe que dans les choses précises. Il savait aussi que rien n'est plus facile que le faux fantastique dans le métier des films. Il l'évitait avec une grâce infaillible.

Comme un poème, un grand roman, une suite musicale, *Orphée* supporte et réclame d'être revu et réentendu. Il n'est pas d'exemple cinématographique où la caducité, le vieillissement du genre soit contredit avec plus de force. C'est qu'il en est peu qui soient, à ce degré, une œuvre de foi. Et quelle foi ? Le poète l'a écrit souvent. Il répugne aux dogmes établis, tout en les respectant. Il formule notre angoisse, parcourt la « zone » qui nous sépare de l'autre monde, ce monde éternel dont nous ne pouvons *rien savoir*, mais qui ne commence pas après notre mort, qui gante notre univers terrestre de telle façon que, selon saint Paul, « l'immortalité commence pour nous dès à présent ». Jean Cocteau est « religieux » dans la mesure où il n'a jamais douté de l'éternité, où toute son œuvre, profonde et légère n'est qu'une obéissance farouche à l'instinct de durer, un ralliement à ce qui, en nous, triomphe de la Mort apparente. Cet enseignement d'un franc-tireur qu'aucune Église ne soutient ni ne protège, qui ne prêche ni l'espoir ni le désespoir (aussi improbable l'un que l'autre), il est admirable de le voir depuis des années circuler d'écran en écran, mêlé aux programmes les plus commerciaux, proposé comme divertissement au public des quartiers, sans que sa vertu en soit émoussée son affabulation moquée, sa grandeur discutée. Le film *Orphée* m'apparaît avec le recul comme l'aventure plastique la plus audacieuse de ces dernières années.

Il nous faut revenir à 1949 et quitter la poésie cinématographique (où nous nous sommes laissés entraîner à « précéder le temps », comme dit La Fontaine) pour suivre Jean Cocteau dans ses autres métamorphoses. C'est pourtant grâce au cinéma que nous le retrouvons « poète critique » dans les airs. Il revient de New York où il a présenté le film « l'Aigle à deux têtes ». L'avion traverse l'espace qui sépare le Nouveau continent du nôtre et, non pour « tuer le temps », comme les passagers ordinaires, mais pour le contraindre à servir l'Esprit, Cocteau écrit sur ses genoux une « Lettre aux Américains ».

C'est un des derniers hommes libres qui vous parle, libre avec tout ce que cela comporte de solitude et de manque d'électeurs. Je ne peux prétendre à être soutenu par aucun groupe, par aucune école, par aucune église, par aucun parti. Ma tribune est dans cet éther que l'avion ravage avec ses hélices, tribune entourée d'astres cruels et de personnes qui dorment et qui toutes, sur le plancher des vaches, ont un milieu et une opinion. Je ne possède ni opinion ni milieu. Je m'adresse toujours à ceux qui tâchent désespérément d'être libres et qui doivent à ma ressemblance, attendre de partout la gifle, au point de se demander, lorsqu'on les complimente s'ils ne se sont pas rendus coupables de quelque erreur.

Ainsi placé au-dessus de la mêlée et dans une sorte de guérite de solitude, le poète peut-il dire quelques vérités à ceux qui, moins libres et plus redoutables, hélas ! par leur appartenance à la terre, s'enorgueillissent de leurs limites, de leur jeunesse ou de leur vieillesse, de leur progrès ou de leur tradition. Jean Cocteau a bien trop de cœur pour ne pas faire de différence entre le peuple américain, charmant, spontané, plein de bonne volonté et cette entité puissante que l'Europe insulte journellement (après s'être traînée à ses genoux il n'y a pas si longtemps).

Ce n'est pas de vous, peuple américain que je parle. Je parle de ceux qui, possédant l'argent, craignent le risque et perdent la face parce que seul, le risque rapporte à la longue. Je parle du monde de l'argent et du rendement immédiat. Je parle du rideau d'or aussi dur que le rideau de fer, du rideau d'or qui sépare l'Amérique de l'Amérique, l'Amérique de l'Europe... Le public de New York est le meilleur public qui soit au monde. Je l'ai vu empressé, attentif, rieur, enthousiaste, ne partant pas avant la fin et acclamant les artistes qui lui plaisent...

Les conseils que le poète avec une grande gentillesse, se permet de donner aux Américains, sont les mêmes qu'il a donnés à ses compatriotes : l'attention vigilante, le culte du singulier contre le pluriel, la religion de la liberté, la primauté de la bonté sur la méchanceté devenue si courante, donc si conventionnelle. Mais la *Lettre aux Américains* prend de la hauteur et accède aux idées générales, à des considérations d'ordre cosmique. L'écriture, toujours d'une économie rigoureuse, se contracte encore :

> *Il est fort drôle de parler de décadence sur une terre qui résulte d'une décadence. En effet, la lumière ne résulte que d'une décomposition. Dès qu'un astre cesse d'être à l'état de nébuleuse (qu'il vieillit en quelque sorte) il se décompose et s'enflamme. Lorsque le feu se minimise et se pelotonne, l'astre se croûte. Il est en décadence et la vie se forme. Il grouille de vermine. C'est nous.*

Le goût que je manifestai pour *Reines de la France*[1], ces « Souvenirs de Portraits » aussi vivants que les *Portraits-Souvenir* et d'une concision admirable, entraîna peut-être Jean Cocteau à consentir à leur publication séparée, non plus en album de grand luxe, mais en plaquette courante chez Grasset. La première édition date de 1948 et précède donc quelque peu la *Lettre aux Américains* et *Maalesch*.

Ces *Reines de la France* ne sont pas toutes Reines de France. La place qu'elles occupent dans notre histoire, l'éclat dont se parent leurs noms et leurs personnes ne sont pas dus au sacre ou au sang bleu. Couronnées du nimbe de la sainteté, du malheur, du diadème de la beauté ou de l'étincelle du génie, tant de figures illustres et dissemblables composent une suite brillante sur le thème de l'Éternel féminin. Jean Cocteau, comme dans *Portraits-Souvenir* nous permet avec *Reines de la France* d'accéder à ce temps de la poésie où tout est mis au présent. Il a dessiné les portraits de sa galerie, de sainte Geneviève à la comtesse de Noailles, avec le même trait, celui de l'artiste qui dessine sur le vif. On trouvera plus loin un des plus beaux exemples de ce style à l'emporte-pièce qui est celui même des portraits de Retz.

Immédiatement après, avec *Jean Marais*, Cocteau entreprend le portrait de cet acteur dont la popularité a multiplié l'image et que chacun peut voir et croit connaître parce qu'il l'applaudit. On retrouvera dans cette étude le ton et la préoccupation morale qui font le prix de *La Difficulté d'être*. A la fois « vrai et idéal » selon le vœu stendhalien, un tel

---

1. Textes écrits pour accompagner des gravures de Bérard.

Anna de Noailles

portrait témoigne d'une vigilance que l'amitié aiguise au lieu de l'émousser. Avec grâce mais fermeté, il rétablit entre une « idole des foules » et cette foule encline à la familiarité la plus veule, *le sens des distances*. La prise de vue est d'une étonnante agilité. Nous voyons vivre Marais de sa vie intime qui est un exemple de conscience, de modestie, de travail, de gentillesse. Et puis nous le voyons flamboyer sur la scène tel qu'en lui-même la tragédie le change. Une fois encore, cet ouvrage de Cocteau qui aurait toutes les excuses du laisser-aller anecdotique, est un enseignement ; le problème de l'acteur y est traité avec l'expérience, le soin, le goût que l'on imagine.

Jean Marais est de 1951. De la même année, datent les *Entretiens* à la Radio française qui n'ont pas été édités, et les *Entretiens autour du Cinématographe*, les uns et les autres recueillis par moi-même. A la Radio, Cocteau, une fois de plus, a surpris et dérouté les auditeurs frivoles : ceux-ci attendaient du brio, des jeux de mots, des cocasseries. Après Léautaud ils espéraient, sur la fausse réputation de bateleur du poète, je ne sais quelles clowneries et ces méchancetés qui les ravissent. Jean Cocteau, que les machines intimident, et qui sait parler à un public innombrable, s'interdit l'improvisation. Scrupuleusement, en formules très claires, aussi peu abstraites que possible, il retraça les grandes étapes de sa carrière dont toute une jeunesse parisienne et provinciale ignore la richesse, la diversité, puisque les éditeurs ne réimpriment pas les livres anciens et que les journalistes sont souvent hâtifs... Nous reçûmes de nombreuses lettres de remerciements émanant principalement des étudiants des facultés de province qui nous prouvaient que la forme d'enseignement amical choisie par nous était la bonne.

Les Entretiens autour du Cinématographe pour ne rien négliger des détails précis, des secrets d'artisan que j'avais espérés, n'en prennent pas moins le large. Ils fourmillent d'aperçus sur de tout autres problèmes : l'art en général, la psychologie du public, celle de la critique, le style, la durée. Et ils livrent la confession d'un créateur en proie à son démon.

1952, fut aussi l'année de *Bacchus*, dernière en date des œuvres pour le théâtre de Cocteau. Une fois de plus, scandale pour l'élite et succès auprès du grand public. La querelle faite à *Bacchus* demeure pour moi incompréhensible. La pièce est historique, même dans son affabulation. La coutume de nommer un vigneron roi et de lui accorder, pendant un temps bref, le pouvoir absolu, subsiste encore en Suisse, à Vevey. Cocteau profite de cette « mythification-mystification » dramatique, pour évoquer l'Allemagne des troubles de la Réforme, les querelles de dogmes, les divisions des familles, la politique sournoise qui se sert de la naïveté des jeunes et tourne leur hardiesse à son profit. Il semble naturel que le jeune Hans promu Bacchus, parle au Cardinal légat venu de Rome, avec toute la fougue de son opinion personnelle. Les réponses du Cardinal (fidèles à l'esprit des « Chroniques italiennes » de Stendhal) ont le même naturel et la même hauteur, bien que différentes. Ce prélat élevé à la cour romaine comprend le révolté, apprécie sa flamme et sa franchise, redoute les conséquences de cette franchise. Incapable de sauver Hans dans l'immédiat, il prend sur lui de le sauver dans la vie éternelle. Taxer de machiavélisme un tel geste, c'est tout ignorer d'une politique *spirituelle* qui est l'honneur de l'Église catholique. Accuser l'auteur de *Bacchus* de s'être montré partisan c'est prouver que l'on a écouté sa pièce d'une oreille prévenue ; c'est surtout, une fois encore, se trouver soi-même, sans le savoir, du côté de Hans et ne rien comprendre à la foi subtile mais indéniable du Cardinal.

M. Mauriac, dans le style franc-tireur qui est le sien, écrivit un article « d'humeur » qui brouilla les cartes et embrouilla les lecteurs du Figaro. Jean Cocteau répondit à cet article par un autre : *Je t'accuse*, volontairement antilittéraire, cinglant et d'une grande dignité attristée. Ces querelles n'empêchèrent pas *Bacchus* de remporter un grand succès à Paris où la compagnie de Madeleine Renaud-Jean-Louis Barrault le défendirent avec ferveur et goût, et surtout à l'étranger, singulièrement en Allemagne, dans une mise en scène extraordinaire de Gustav Gründgens. A la suite des représentations de Düsseldorf, Cocteau notait : *Bacchus au Schauspielhaus de Düsseldorf avec Gründgens (prodigieux dans le rôle du Cardinal). Au milieu des acclamations interminables de ce public d'un catholicisme et d'un protestantisme sévères et le lendemain, en lisant les remarquables études des journaux, je me suis vraiment demandé si la presse française et la presse belge n'avaient pas été victimes d'un phénomène d'hallucination collective...*

La gentillesse de Jean Cocteau, son horreur de la haine, se retrouvent dans cette excuse qu'il offre à des juges sur lesquels la maîtrise des moyens dramatiques et la plus complète liberté d'esprit agissent comme le rouge sur le taureau.

...Il faut donc se résoudre à reconnaître que certaines œuvres énervent, émettent des ondes singulières et déformantes, provoquent l'injustice et que les auteurs de ces œuvres n'y peuvent rien, sauf de comprendre que l'invisibilité les protège, qu'elle exige un recul pour la bonne conduite de ses perspectives et de son relief...

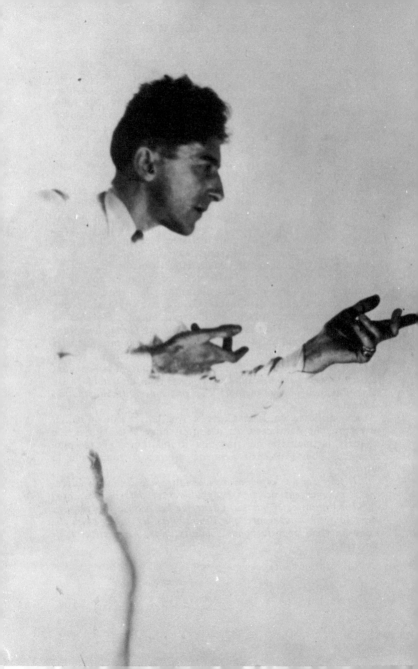

« MON INVISIBILITÉ... »

C'est au problème de l'invisibilité et plus généralement à l'Invisible, que Jean Cocteau a consacré son essai : *Journal d'un inconnu.*

Il est dédié au savant René Bertrand qui devint l'ami de Cocteau après l'avoir entendu à la Radio dire que *le temps est un phénomène de perspectives.* Les deux hommes s'écrivirent, se rencontrèrent. Cocteau lut le livre de Bertrand : « L'Univers cette unité » où il retrouva, confirmés par une méthode scientifique, certains pressentiments personnels, certaines relations établies par lui arbitrairement dans une sorte de clairvoyance sans preuves qui est le privilège des vrais poètes.

Dès son préambule, Jean Cocteau prévient ses lecteurs : qu'ils ne s'attendent pas à un ouvrage d'érudition, à une enquête menée dans les règles !

Je ne prétends pas construire une usine de l'invisible, mais suivre l'exemple de l'artisanat en des matières qui exigent plus de culture que je n'en possède.

Je veux m'installer devant ma porte, essayer de comprendre à la main ce sur quoi la sagesse base son industrie.

N'ayant à ma disposition ni les instruments ni les préceptes qui facilitent ce genre d'études, il faut me résoudre à rempailler une chaise où l'âme a coutume de s'asseoir plutôt que le corps... L'artisanat n'est plus en faveur à notre époque de grosses entreprises. Mais il est représentatif de ce singulier que le pluriel menace de sa haute vague.

Seul donc, comme toujours, l'auteur avec son bagage réduit de pionnier, va s'engager dans une nouvelle « zone » interdite par l'habitude et la limite de nos sens. La jeune science qui compte moins ses pattes que la science d'hier ouvre à l'esprit d'un poète des « espaces infinis » qui, loin de l'effrayer, le rassurent, car le malaise de vivre sur terre y cesse enfin. N'avait-il pas pressenti depuis longtemps que le temps, les distances, le loin et le près, sont des inventions de l'homme, commodités au départ, devenues par la suite des tyrannies, des épouvantails ?

Y a-t-il réellement lourd et léger, court et rapide, grand et petit et autres certitudes des moins certaines ? Nous tirâmes des lois de notre infirmité. Encore faut-il admettre qu'elles ne sont peut-être pas universelles et que comme il arrive d'un peuple à l'autre, elles ne valent que chez nous. L'évidence m'apparut que notre législation étonnerait au delà de certaines frontières, que cette législation ne régit que notre république, que les chimistes, mathématiciens, historiens, astronomes, philosophes, biologistes, en sont les législateurs et que si nous ne sommes pas libres d'en exprimer la certitude, nous le sommes d'en avoir le pressentiment.

J'insiste sur ce chapitre particulier du *Journal d'un inconnu* appelé « des Distances » car il est le plus vertigineux, le plus neuf, le plus riche d'avenir. Certes, un lecteur attentif de l'œuvre de Cocteau en a déjà trouvé certains éléments prophétiques dès le premier *Potomak*. Mais le discours sur l'Éternel Présent et la Simultanéité n'avait jamais atteint jusqu'à lui cette rigueur souple, cet accent qui fait songer à quelque Bossuet pascalien.

Quelque fou que cela paraisse, le néant ou la vie, le vide ou le plein, sont des concepts naïfs que l'homme oppose à l'écœurement de s'y perdre et qu'il sculpte comme des idoles sauvages. L'orgueil ordonne aux uns (et coûte que coûte) d'être quelque chose, aux autres de n'être rien alors que ce rien est aussi inconcevable que ce quelque chose, et ce quelque chose que ce rien...

Et c'est ce rien qui nous demeure inconcevable, à nous qui sommes quelque chose, et dont la subjectivité se matérialise perpétuellement en objets. Ce moi et ces objets qui en sortent nous alourdissent et nous encombrent. Nous nous cognons contre des murs recouverts de phrases écrites et pour courir de l'un à l'autre il nous faut escalader un garde-meuble, un capharnaüm de statues cassées, un grenier d'enfance avec le cercueil du

croquet et le passe-boules. Que n'avons-nous l'aisance du rêve ?
On y vole si bien qu'on s'imagine en être capable au réveil.
Mais dans la veille, autant que des trois murs qui nous emprisonnent,
nous sommes victimes d'un stock d'objets qui nous cachent le
quatrième, lequel doit être translucide et s'ouvrir sur des murs
innombrables (mettons la liberté).

Je me tiens volontairement aux citations où la recherche
de Jean Cocteau aboutit à des conclusions métaphysiques
ou morales. Mais le détail de cette recherche menée avec
une étonnante souplesse est passionnant, convaincant, sans
jamais appeler à son secours la référence pédante. Et l'optimisme foncier du poète s'y acharne à combattre le pessimisme
qui nous accable à tort, puisque les *données* de notre désespoir
sont fausses.

Décoller de notre vocabulaire et de notre code est un travail
que j'ose affronter sous l'aile de l'ignorance. Même si la prison
est à perpétuité, mieux vaut pour un prisonnier comprendre
qu'il est en prison. Cela engendre l'espoir et cet espoir n'est
autre que la foi.

Ce chapitre sur les distances suffirait à classer *Le Journal*
d'un inconnu parmi les textes les plus importants parus depuis
la guerre. Comme toujours, la vogue est allée à des livres
où le jargon philosophique, le faux sérieux et un pessimisme
hérité des naturalistes composaient la plus indigeste des
mixtures (et la plus sommaire). Le livre de Cocteau n'a
pas soulevé ce mouvement de presse auquel on pouvait
s'attendre à la parution d'un ouvrage si riche. Mais comme
dit son auteur dans un autre chapitre :

Je suis sans doute le poète le plus inconnu et le plus célèbre.
Il m'arrive d'en être triste... Mais si j'y réfléchis je moque ma
tristesse. Et je pense que ma visibilité constituée de légendes
ridicules, protège mon invisibilité, l'enveloppe d'une cuirasse
épaisse et étincelante, capable de recevoir impunément les coups.
Le journal d'un inconnu attaque tous les conformismes de
pensée et les fausses vérités établies, à la manière de ces
livres de combat « Humain trop Humain », « Par-delà le bien
et le mal » où Nietzsche emploie la technique des moralistes
français. Mais la nature apollinienne de Cocteau, son élégance et sa bonté, ont évité à son ouvrage tout caractère
agressif. Quelle agressivité ressentirait-il d'ailleurs dans le
haut domaine où il veut nous entraîner ? L'essentiel n'est pas

de combattre, mais de projeter de la lumière sur *ce qui importe.*

Et ce qui importe ne peut être que méconnaissable puisque sans aucune ressemblance avec quelque chose de déjà connu.

Le livrè se termine par une étude de l'amitié, sentiment méconnu, sinon méconnaissable.

Jean Cocteau affirme qu'il s'y acharne, car il *préférerait être condamné pour une préférence de son cœur que pour une doctrine de son esprit.* Notre monde empoisonné par le virus politique ne compte plus que des partisans ou des ennemis. Une fois encore, Cocteau est seul à défendre un territoire de l'âme menacé par les passions lourdes, ou ce qui est pis, par l'indifférence. L'amitié réclame le désintéressement, un

Entre Orson Welles et Jean Marais

« Picasso me fait goûter sa glace... »

contrôle continu, la clairvoyance. C'est qu'elle n'est pas un instinct comme l'amour aveugle, mais un art. Définir l'amitié, c'est encore définir la poésie. C'est recommander l'usage d'une morale sans diktats confessionnels, réclamant de chaque *individu* une vigilance constante, une énergie.

Le Journal d'un inconnu est de 1953. En 1952 son auteur publiait en plaquette un long poème : *Le Chiffre Sept*. J'en parle à présent pour le relier au dernier recueil poétique de Cocteau : *Clair-obscur*, paru en 1954.

Le Chiffre Sept est une œuvre déployée, comme *Léone*, mais le discours en est moins descriptif. Le poète n'y poursuit plus, hors de lui, une figure de ses songes. Il met à jour son pessimisme interne, cette souffrance d'être à la fois l'esclave des muses cruelles et celui d'un monde égoïste, aveugle, acharné à sa propre perte. Les grâces de ce monde condamné ne font qu'aviver le supplice, de voir, de comprendre l'absurdité de tout avec la seule mission de crier, ou plutôt de chanter, dans le désert.

La haute plainte du *Chiffre Sept* est admirable de lyrisme, de plénitude, d'invention rythmique et verbale. Son amertume évoque celle des poèmes de Vigny :

> *Pauvres hommes pressés, savez-vous que vous n'êtes*
> *Rien. Des dupes ! Et que tout vous condamne exprès*
> *A ce rythme trompeur qui berce la planète*
> *A prendre pour du loin, un mensonge du près.*
> *Tout est près. Rien n'est loin. Rien n'est lourd, rien ne pèse*
> *Rien ne va vite. Rien n'a tort. Rien n'a raison.*
> *Et l'âme assise sur un fantôme de chaise*
> *Rempaille le soleil au seuil de sa maison.*

Le recueil *Clair-obscur* correspond à son titre. Cocteau y joue de la lumière et de l'ombre avec une aisance souveraine. Non pour les mélanger et obtenir cet effet crépusculaire, ce « chien et loup » grâce auquel bien des faiblesses de forme et de pensée se maquillent d'un pathétique facile. Mais pour les opposer et faire valoir par cette opposition toute la rigueur du clair, toute la densité de l'obscur.

Quatre-vingt-douze Cryptographies, illustrant à merveille cette épigraphe de Jean-Philippe Rameau « Il est difficile d'avoir l'air facile », résument en strophes concises l'éthique et l'esthétique du poète. Aussi bien ces cryptographies pourraient-elles auprès de l'amateur de poésie suppléer bien des livres introuvables aujourd'hui, de leur auteur. L'économie dès mots, des lignes, le génie français de précision devenant musique, atteignent ici à leur intensité maxima.

Le classicisme des Cryptographies n'a rien à voir avec le pastiche académique. C'est une forme vivante, novatrice dans la tradition. Elle appartient à l'auteur de *Plain-chant*, elle est la chair de sa chair et le sang de ses veines. Ce qui émerveille c'est sa jeunesse, mais une jeunesse sans défauts, comme celle des Dieux.

Quelques poèmes de longueur et d'inspiration très variées font sous le titre *Divers* la charnière entre les Cryptographies et *Les Hommages et poèmes espagnols,* qui représentent la part du livre réservée à l'obscur. Jean Cocteau y salue de grands artistes comme Greco, Vélasquez, Goya, le poète Gongora, le Torero Manolète en épousant la manière sibylline et précieuse que l'espagnol Gongora apprit au français Mallarmé. Et c'est mallarméennement que l'auteur de *Clair-obscur* après les espagnols, rend hommage à Kleist, Kafka, Pouchkine, Jarry, Rilke etc... sans oublier Mallarmé lui-même! Le grand intérêt de ce jeu ne réside pas tant dans l'extrême virtuosité que dans sa parfaite adaptation aux sujets traités. Contrairement à Mallarmé chez qui, la plupart du temps, un objet très simple se cache sous sept voiles pailletés que l'on enlève un à un, Cocteau n'emploie ces vocables rares, ces tournures insolites que pour servir la riche complexité des modèles dont il a choisi de faire le portrait. Traduire par des mots l'inspiration et jusqu'à *la matière* d'artistes tels que Vélasquez, Greco ou Goya, en donner l'équivalent verbal immédiat sans le secours du commentaire en prose, qui, lui, prend son temps (comme « L'Œil écoute » de Claudel) c'est tenter un essai de critique *directe*, véritable tour de force dont le bénéfice est de rendre à « la langue-papier » de plus en plus démonétisée de nos jours, sa valeur or.

Jean Cocteau m'a confié que *Clair-obscur* s'était écrit dans l'intervalle qui sépara deux crises très graves où le poète manqua mourir. Tout en admettant que ces crises aient pu jouer un rôle dans la création de son livre, par exemple celui de contraindre son auteur à ce qu'il appelle le *fairepalarisme* c'est-à-dire expulser ce que son *à quoibonisme* natif, lui eût fait garder pour soi, il se refuse à croire que la souffrance soit féconde et préférerait que son œuvre eût été exécutée dans le bonheur.

Ce détail biographique, je ne le cite que pour mieux mettre en lumière la remarquable sérénité de *Clair-obscur*. La douleur physique aussi bien que le découragement y sont surmontés, supprimés. L'amertume du *Chiffre Sept* a cédé la place à une maîtrise de soi qui n'est pas de la froideur, mais une sorte de sublimation dont le plus bel exemple, à mon avis, est donné par cette 27e Cryptographie qui s'adresse au cheval ailé, *conducteur obéissant* du poète devenu son parfait cavalier, grâce à la haute école d'une existence entière.

COCTEAU

Clair-obscur a été achevé d'imprimer en octobre 1954. Un an plus tard, exactement en octobre 1955, Jean Cocteau, à peine rétabli de la plus grave maladie de sa vie (l'infarctus du myocarde auquel n'a pas survécu Jouvet) était reçu à l'Académie Française et à l'Académie Royale de Belgique.

Sa décision de se présenter à ces « compagnies » scandalisa autant de prétendus amis de l'auteur des *Potomak* que « d'avant-gardistes » oublieux de la vraie loi de l'avant-garde, qui est de se porter sans cesse au secours des valeurs méconnues et de fuir tout confort. Jean Cocteau sous la Coupole ! Jean Cocteau prononçant un discours en habit brodé, en bicorne à plume et l'épée au côté ! Il fallait être bien aveugle et bien moutonnier pour ne pas comprendre qu'il s'agissait en l'occurence, non d'une démission, mais d'une nouvelle et très noble forme de cette *réaction*, à laquelle sont dues toutes les œuvres capitales de Jean Cocteau.

En 1955, l'académisme n'est plus à l'Académie. Il est au théâtre, au cinéma, dans les journaux, les écoles. Il circule impunément puisqu'il ne dit pas son nom. Il consiste à imiter servilement ce qui fut en d'autres temps, héroïques ceux-là, audace ou malédiction, mais qui avec les années est devenu si glorieux, si prisé que la copie en est « rentable », de tout repos.

Ainsi les découvertes des cubistes, des surréalistes, des abstraits, fournissent-elles à la publicité ses patrons les plus faciles. Facilité, aussi, les départs pour le Harrar ou autres Tahiti que les photographes ont envahis sur les traces brûlantes de Rimbaud et de Gauguin. Cet académisme va si loin dans la prudence que les artistes les plus snobs, les bourgeois les plus fortunés croient leur talent ou leurs millions solidaires du chandail troué et des mauvaises manières auxquels les fondateurs de cet « académisme », les « maudits » d'autrefois étaient voués par force et non par gré. Devant cette utilisation des singularités du génie par les médiocres, devant ce triomphe du quantitatif sur le qualitatif, Jean Cocteau a pensé qu'il fallait encore remonter une pente, porter secours à la plus décriée, la plus oubliée des valeurs de notre civilisation. Celle qui pourrait se nommer : le Sens du Cérémonial.

La singularité n'est forte que si elle joue à travers toutes les formes en respectant ces formes. Une élégance remarquée n'est plus une élégance. Sous la Coupole, et un an plus tard à Oxford, Jean Cocteau a su admirablement être lui-même,

Oxford, 1956

affirmer l'insolite de sa position (celle d'un homme habitué à vivre debout entre deux chaises et qui se voit proposer des fauteuils), définir son art.

Persuadé qu'un homme qui possède une vérité et qui a la mission d'en faire part, doit la proclamer sur tous les tons afin que cette vérité soit entendue, notre académicien, notre Docteur honoris causa, a joué le jeu des discours officiels pour servir les dogmes antidogmatiques exposés dans toute son œuvre : l'invisibilité qui se protège par la gloire, la poésie indispensable et qui ne sert à rien, le vrai rôle de l'artiste.

« *Le rôle de l'artiste sera donc de créer un organisme ayant une vie propre puisée dans la sienne, et non pas destiné à surprendre, à plaire ou à déplaire, mais à être assez actif pour exciter des sens secrets ne réagissant qu'à certains signes qui représentent la beauté pour les uns, la laideur et la difformité pour les autres. Tout le reste ne sera que pittoresque et fantaisie, deux termes haïssables dans le règne de la création artistique.* »

En Belgique, Jean Cocteau succédait à sa vieille amie Colette. Celle-ci avait elle-même succédé à une autre amie illustre : la comtesse de Noailles. Le discours de Cocteau lui permit donc d'exalter l'amitié, autre thème obsédant de sa vie et de son œuvre, avec la tendresse et la familiarité de *Portraits-Souvenir*.

Je dis : familiarité et j'ai tort car ce terme pourrait faire croire que Cocteau, évoquant les amis de voisinage au Palais Royal, ses visites quotidiennes au chevet de l'auteur de Chéri, sacrifie à l'anecdote. Bien au contraire. Il héroïse la silhouette de celle dont il n'oublie pas, en dépit du laisser-aller de l'amitié, qu'elle est une figure représentative, allégorique. Pétrifiant non plus de l'abstrait mais le réel immédiat, Cocteau magnifie. Ainsi lui devons-nous des portraits traités à la façon des peintres d'Antinoë qui ne craignaient pas d'enrichir la ressemblance d'un hiératisme transfigurateur.

Les trois discours (Académie Française, Belgique, Oxford) ont ceci en commun qu'ils rompent avec la consigne officielle de froideur dans la courtoisie et de « dépersonnalisation » du nouvel élu prononçant ses éloges. Cocteau a parlé pour des amis, devant des amis, obligeant ainsi les académies à ressembler temporairement à l'idée noble qu'il s'en fait, c'est-à-dire à des réunions d'hommes de mérite groupés pour maintenir les valeurs, mais observant le comportement chaleureux des confréries artisanales d'autrefois.

Il est bien certain que les uniformes, les honneurs, acceptés par Jean Cocteau ne représentent pour lui que les nouveaux accessoires du sacerdoce périlleux auquel il s'est voué depuis le *Potomak*. La panoplie d'académicien lui apparaît voisine

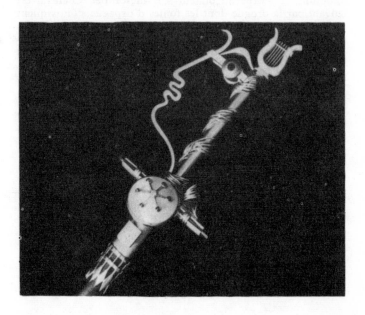

de celle du torero qui, dans le désert de l'arène, accomplit un rite mortel dont le sens métaphysique lui demeure caché. Ce parallélisme d'une corrida avec l'art créateur du poète Jean Cocteau vient de l'établir dans son livre le plus récent : *La Corrida du premier mai*. Œuvre singulière où le gongorisme de la forme est au service à la fois du modèle espagnol à peindre et de la plus constante préoccupation de l'auteur : celle du combat de Jacob (le poète) avec l'ange (la poésie et la mort).

COCTEAU

Le 1er mai 1954, aux arènes de Séville, le torero Gomez dédia un des taureaux de la course à Cocteau et lui lança, selon la coutume, sa toque noire, la « montera ». Cocteau conserva sur ses genoux cette « montera » qui devint *l'objet témoin* et mit le poète en communication psychique avec le torero.

En somme, le spectateur, lié au spectacle par la toque dédicatoire ressemble au mangeur de haschich, au fumeur d'opium, à l'expérimentateur de mescaline. Cocteau est envahi par la drogue dont les foules d'Espagne s'intoxiquent depuis des siècles : la corrida. Aussi, la description de la mise à mort a-t-elle la précision hallucinée de certaines pages d'*Opium*. La fiesta célèbre les noces de l'homme ou de la bête avec une Dame blanche invisible et souveraine qui est la Mort. Tour à tour, le brillant torero ou l'animal sombre et nu deviennent la femelle et le mâle du combat nuptial. Les grands mythes antiques de Thésée au Labyrinthe, d'Hercule chez Omphale apparaissent comme des préfigurations du rite qui se déroule dans l'arène.

La Corrida marque, à mon sens, un renouvellement formel des plus savoureux dans l'œuvre de Jean Cocteau. Son rythme incessamment brisé, passant de la formule très courte à des incidentes développées, interdit au lecteur de glisser en roue libre, réclame une participation de son esprit qui restitue à la lecture son sens actif. Ainsi, Jean Cocteau ne cesse-t-il d'être un professeur d'énergie et un éveilleur.

« *J'EMPORTERAIS LE FEU !...* »

Je me suis efforcé, tout au long de cette étude, à me tenir près de mon sujet, à mettre en lumière la ligne interne d'une œuvre dont on a vanté ou critiqué jusqu'ici la dispersion apparente, dont on a exalté les beautés de détail, en se gardant bien de les relier entre elles, de les approfondir, trouvant sans doute que c'était déjà beaucoup que d'applaudir les chandelles d'un feu d'artifice. Ainsi omettait-on consciemment de remonter à leur source, au feu central dont elles émanent.

C'est par réaction contre une telle attitude (où il entre autant d'avarice d'âme que de superficialité) que j'ai choisi de parler du *génie* de Jean Cocteau (et de faire parler ce génie lui-même) beaucoup plus que de disserter sur ses multiples talents.

Je comprends bien qu'il soit difficile d'admettre, dans un temps d'atténuation de tous les reliefs, l'idée même de génie. En outre, un académisme entoure ce vocable. Un génie a priori doit être mort. S'il est vivant, il faut qu'il se fasse *excuser* par une tare ou une maladresse : laideur, pauvreté, obscurité, surtout pédantisme. Il faut qu'il se spécialise et ne sorte pas de sa spécialité. Pourtant, on taxe volontiers de génie une chanteuse de cabaret ou un couturier. Mais les lèvres se pincent dès qu'il s'agit d'attribuer le même qualificatif à un poète vivant parmi nous, de notre race, qui depuis un demi-siècle a tout influencé, éveillé une sensibilité nouvelle, étonné le monde par les œuvres les plus diverses qui sont autant d'archétypes. Napoléon considérait le bonheur comme « le plus complet développement de nos facultés ». Sous cette définition, bonheur et génie peuvent s'interchanger. Il n'est pas étonnant que l'un et l'autre soulèvent la jalousie réprobative de ceux qui laissent la plus grande partie de leurs facultés en état de sclérose ou de somnolence.

Et pourtant, quoi de plus salubre, de plus réconfortant, de plus exaltant que la présence évidente du bonheur ou du génie ? Le bonheur n'est jamais égoïsme. Le génie non plus... A quoi reconnaît-on l'un ou l'autre ? A un certain rayonnement. Les lecteurs fidèles de Jean Cocteau et ceux qui l'ont rencontré, écouté, s'accordent pour trouver qu'il est éblouissant. C'est décrire trop vite et trop facilement son style écrit ou parlé, le rayonnement de son œuvre et de sa personne.

Puisque j'en viens à parler de lui en mon nom, je confierai qu'à dix-huit ans, il ne me suffisait guère d'être ébloui (sans nourrir pour autant le préjugé de l' « Embêtant » considéré comme l'attribut indispensable du sérieux). A cette époque, les succédanés de Cocteau et le cocteauisme, rendaient le plus mauvais service à une œuvre dont ils prouvaient cependant l'influence. Ce n'étaient qu'étoiles, anges, miroirs, statues en marche, draperies d'andrinople. Cet attirail composait tout le « bagage » des jeunes suiveurs que remplaceraient un peu plus tard les victimes du giralducisme, plus tard encore de l'existentialisme. Mais si léger que fût ce bagage, il témoignait d'un engouement même superficiel pour la sublimation du quotidien, pour la grandeur, pour le style. Avec le recul, je ne juge plus une telle mode avec sévérité. Je trouve même digne de respect cette volonté de copier l'inimitable.

En prenant donc au degré le plus faible l'influence de Jean Cocteau on s'aperçoit que le poète n'a jamais donné que des leçons de noblesse. Mais de tous les maîtres qui, par nature et par choix, se sont voués à la formation des sensibilités, qui, selon le mot de Barrès, ont « agi sur les jeunes cœurs », l'auteur du *Journal d'un Inconnu* est le moins doctoral.

C'est qu'il est de tous (et j'espère qu'on prendra ce que je vais dire au sens grave) le mieux élevé. La célèbre et si réelle gentillesse de Cocteau, c'est la politesse des personnes royales, conscientes de leur singularité et prêtes à tout tenter pour la rendre supportable aux autres et à elles-mêmes. Le génie, comme le sang bleu, rend difficile l'échange humain, contredit les mouvements du cœur.

Or, Jean Cocteau a autant de cœur que de génie. Comme il le dit fort bien : il *aime aimer*. Poussé par cette passion de l'humain, on le voit se prodiguer tout au long des journées ou des soirées, en conversations, en besognes acceptées, (par impossibilité de refuser quelque chose à quelqu'un) au bénéfice d'inconnus que la bonne éducation du poète (et leur propre mauvaise éducation) conduisent à trouver ce don de soi naturel! Pourtant, si ingrate que soit la majorité des profiteurs, une telle dépense n'est jamais vaine. Bien souvent, l'ingratitude n'est que la revanche des natures faibles contre une influence trop impérieuse, contre un idéal trop élevé, qu'elles ont cru pouvoir servir et qui dépasse leurs possibilités. D'autres fois ce sont les doctrines esthétiques ou politiques qui réclament de leurs partisans une attitude hostile vis-à-vis d'un esprit dont le seul fanatisme est celui de la liberté. Mais aucun l'ayant approché et même passé à ses détracteurs, qui ne reconnaisse un jour ou l'autre ce que son commerce a d'exaltant et de fraternel.

A-t-on assez reproché à Jean Cocteau ses débuts faciles! Quand on voit aujourd'hui tant d'artistes jeunes et vieux condamnés par leur succès (et les gardes-chiourmes de ce succès : marchands, journaux, éditeurs, directeurs de théâtre) à ne jamais changer de manière, à répéter le même tableau, le même best-seller, la même mélodie, la même pièce, on mesure pleinement le mérite qu'il y eut à interrompre une carrière de poète brillant, fêté par des aînés fort respectables, pour l'aventure du *Potomak*. La pléiade d'inconnus que Jean Cocteau alla rejoindre et qui devinrent plus tard illustres (en grande partie grâce à lui) n'avaient au départ rien à perdre. Par contre, l'importance des premiers succès de l'auteur de la *Danse de Sophocle* n'a pas échappé à des contemporains aussi réfléchis que Roger Martin du Gard, puisque celui-ci a consacré une partie de son premier roman (réimprimé dans ses œuvres complètes) à la description de la matinée organisée par de Max dont nous donnons ici le programme en fac-similé. Barrès, Anna de Noailles, Jules Lemaître, Léautaud, autant d'amis illustres dont il dût être difficile, pour un jeune homme, de quitter le cercle. Il faut bien qu'il y ait eu vocation au sens mystique du mot. J'insiste sur ces commencements car ils sont ce que la gloire cache le plus vite. Les chefs-d'œuvre transformant tout et chacun, consciemment ou non, *Le Potomak* et *Le Cap de Bonne-Espérance*, déterminèrent une mode d'écriture. Le surréalisme l'exploita méthodiquement. Cocteau était l'ami de ses chefs de file, et l'on sait la place que l'amitié tient dans sa vie. Il n'hésita pas, pourtant, plus qu'au temps de sa prime jeunesse, à quitter ce nouveau cercle pour les contraintes du vers ronsardien et malherbien. Quitter les amis thomistes de Maritain fut un autre déchirement très noble. Il me paraît que l'obéissance du poète à son « daïmon » est un exemple d'autant plus pathétique qu'il s'agit à chaque métamorphose de scandaliser des amis. D'où, sans doute, l'acharnement de Cocteau à justifier sa réaction par des écrits critiques, des éclaircissements scrupuleux, qu'un amateur de pirouettes, qu'un dandy satisfait de surprendre se fussent gardés de publier !

Des esprits lents, comme Gide, l'ont accusé de « sauter des marches ». Il les monte plus vite que les autres, voilà la vérité. La preuve en est que son exploit accompli il se retourne, pour indiquer patiemment, *précisément*, chaque endroit où il faut mettre le pied afin de le rejoindre... ce qu'il brûle que l'on fasse car il a horreur de la solitude. Bien sûr, quand on l'a rejoint, on n'a de cesse de lui disputer le titre de pionnier, de franc-tireur, auquel il a droit. Cette mésaventure s'est produite tant de fois, elle est comme on dit « si humaine », que l'on est surpris de voir Cocteau s'en étonner et en souffrir comme au premier jour. Mais à une période d'*àquoibonisme* de durée variable, où le poète affirme qu'il ne fera plus rien, succède un nouveau *faire-parisme* où il s'engage tout entier.

J'ai parlé au cours de cette étude de Cocteau « professeur d'énergie ». Tous ceux qui l'ont vu travailler, ou ont travaillé avec lui, en parlent avec un étonnement vaguement effrayé. Et qui l'a jamais vu autrement qu'au travail ? Quand il prépare une œuvre théâtrale, cinématographique, graphique, Cocteau devient *tout* l'organisme dont il ne devrait représenter que la tête. Sa passion de l'artisanat, sa rapidité d'esprit et ses dons manuels lui font assimiler les techniques les plus diverses. Il parle à chaque spécialiste en homme de métier, et pourrait à tout instant remplacer chacun, du protagoniste à l'aide-électricien. Il assume jour et nuit toutes les responsabilités. On pense à la phrase de Rimbaud : « Je devins un Opéra fabuleux. »

Des échelles de « La Belle et la Bête » à celles de Villefranche...

Sa force de persuasion est telle, que j'ai vu sur les plateaux de théâtre, dans les studios de cinéma ou de radio, les techniciens travaillant avec lui, parler, gesticuler, se passionner à sa manière. Ce mimétisme involontaire et souvent comique, témoigne certes de l'emprise de sa personnalité, mais ce n'est pas cela qui importe. D'autres animateurs savent se rendre populaires. Cocteau, pour plaire, n'a jamais fait de concessions, changé de style. Briand aurait répété pour lui ce qu'il disait de Barrès orateur : « Il n'a pas de monnaie de poche. » Mais ses pièces d'or ont cours. Remplir des salles de quartier avec un film comme *Orphée*, c'est faire mentir les impératifs qui prétendent situer le goût du public à un ignoble niveau. Le public est sensible à la grandeur quand elle lui est proposée avec une foi et une autorité indubitables. En outre, il aime et reconnaît le travail bien fait, il ne sépare jamais le fond de la forme, ne sacrifie jamais l'un à l'autre. C'est pourquoi un dessin, une gravure, une tapisserie, aujourd'hui les murs et le plafond d'une chapelle exécutés par le poète ne sont jamais « décoratifs », même s'ils respectent les lois d'une mise en page donnée. Toujours le trait signifie, inquiète. Il est d'ailleurs important de noter que la plus récente entreprise de l'académicien est une aventure picturale.

La décoration de la chapelle de Villefranche fait passer la poésie graphique de Jean Cocteau au rang de ses créations littéraires. Je soupçonne notre auteur de s'y être engagé par réaction contre les servitudes de l'écrivain couronné. L'immense travail de faire naître, à la renverse, au sommet d'un échafaudage tout un peuple de pêcheurs autour de la figure de saint Pierre, a dû le venger des contraintes du dictionnaire, de l'enrégimentement des compagnies d'hommes

La famille Chaplin visite Villefranche

de lettres. Nous n'avons pas ici à traiter de cette œuvre peinte sinon pour sa signification morale. Elle proclame le refus de toute spécialisation, le goût de la difficulté vaincue, la louange de ce qu'il y a dans l'homme de plus divin : le don de créer.

Jean Cocteau a soixante-sept ans comme on en a trente, plutôt comme on devrait les avoir. Du haut de son échafaudage, en cotte de maçon, avec son masque de sueur et de fatigue, je le découvre, fidèle à la même consigne de fermeté d'âme qu'il y a vingt-cinq ans, quand, dans ses chambres de malade, le buste dressé au-dessus des draps, ou errant, vêtu d'un peignoir en tissu-éponge, le cou étranglé par un foulard pour *garder le sang à la tête*, il écrivait *Opéra* ou *Les Enfants terribles*, façonnait des figures de laiton, dessinait, parlait, bref, *nous apprenait à être*.

Être nous-même et non pas lui ! Tourner en formules les découvertes du génie, comme cela arrive si fréquemment, a toujours conduit au désastre les imitateurs de Jean Cocteau. Son style est si économe, si exactement tendu sur l'idée, qu'il décourage tous les pasticheurs.

Je suis de ceux que l'excellence, loin d'offusquer, exalte. Je suis aussi de ceux qui, avec Serge de Diaguilew, aiment à être étonnés. Depuis un quart de siècle, Jean Cocteau ne cesse de m'étonner parce qu'il excelle en tout ce qu'il entreprend. Ses œuvres sont des réponses à des questions que, sans elles, on n'aurait pas posées.

Cette faculté de « pétrifier de l'abstrait » à toute vitesse ne devrait pas déconcerter les Français dont c'est le génie racial. On la voit émerveiller l'étranger qui a pourtant d'autres cheminements d'écriture et de pensée. C'est que, tout en acclamant chez Jean Cocteau un prodigieux novateur, l'étranger le salue comme le parfait mainteneur de notre tradition formelle.

Son œuvre et son individu semblent unis pour attester avec autant de vigueur que de grâce la permanence et la prééminence du génie français.

Parmi les nombreux reproches que l'on pourrait faire à cette étude, il en est un que je prévois et dont je voudrais m'excuser par avance. Celui de ne pas avoir sacrifié à l'anecdote.

Hé quoi, me dira-t-on, vous avez approché familièrement depuis tant d'années, l'inventeur de toutes les modes, le causeur le plus brillant, vous l'avez vu vivre sa vie de tous les jours et vous ne nous rapportez rien des mots qu'il a faits en votre présence, des vêtements qu'il choisit pour travailler ou pour sortir, des décors où il se meut. Cette demeure de Milly où vous avez préparé ensemble vos entretiens et qui ressemble de l'extérieur à une maison de Peter de Hooch, on sait qu'il y a réuni les épaves de ses logis précédents, rescapées des vols et des « oublis » de dépositaires infidèles. Pourquoi ne pas avoir dénombré ces trésors ? Et cette villa de Santo-Sospir où le poète goûte le soleil du Midi en compagnie de l'amie la plus délicate et d'un fils adoptif veillant jalousement sur sa solitude, pourquoi n'en pas décrire les peintures murales, les mosaïques, la tapisserie de « Judith » qui en font un musée Jean Cocteau ?

Je réponds que tout cela relève de l'indiscrétion, que le poète, quand il l'a voulu, a décrit ses ameublements lui-même : (Cf. la rue Vignon dans la *Fin du Potomak*, la rue Montpensier dans *La Difficulté d'Être*, la villa Santo-Sospir dans un film à elle consacré). Que le goût de l'anecdote est la malédiction de notre époque, l'un des plus grands méfaits du journalisme écrit ou parlé. J'imagine aux lecteurs de ce livre une curiosité plus haute. C'est une sorte « d'introduction à la méthode de Jean Cocteau » qui est ici proposée.

Une fois encore, l'auteur de *L'Ange Heurtebise* justifiera lui-même mon refus de toutes les dérivations, de tout ce qui m'aurait distrait de mon souci principal : l'étude d'une incandescence spirituelle.

A la radio, au cours de nos entretiens, où il entrait plus de laisser-aller que dans ce livre, je demandai à Jean Cocteau qui venait d'achever son aménagement à Milly : « Maintenant que vous avez une maison, faisons une supposition désagréable. Si l'incendie s'y déclarait, quels objets emporteriez-vous ? »

Le poète réfléchit un instant très bref avant de me répondre : *Je crois que j'emporterais le feu!*

Il a emporté le feu... Jean Cocteau est mort le 11 octobre 1963 dans sa maison villageoise de Milly-la-Forêt que je refusais de décrire en 1957 par mépris de l'anecdote et du détail pittoresque. Vivre du vivant de Jean Cocteau était une sorte de garantie contre l'obscurcissement et le froid graduels de notre temps. Mais si, à tous ceux que la présence lointaine ou proche de l'enchanteur rassurait, le « monde apparaît soudain comme ayant diminué de valeur » (cf. *le Feu*, de

d'Annunzio : mort de Wagner) l'œuvre du poète néglige les accidents et les caducités biographiques. Cette œuvre, de 1957 à 1962, s'est enrichie de créations plastiques, cinématographiques ou poétiques dont le rayonnement *futur* est assuré par l'incompréhension et le silence qui ont entouré leur parution.

1958 – Décoration pour la chapelle de Notre-Dame de France, à Londres, et pour la chapelle de Saint-Blaise des Simples, à Milly-la-Forêt.

1959 – *Le Testament d'Orphée* – film.

1961 – *Cérémonial espagnol, du Phénix* et *la Partie d'échecs* – poèmes.

1962 – *L'Impromptu du Palais-Royal* – théâtre.

      Le Cordon ombilical – essai.

      Le Requiem – poème.

La place étant mesurée, je détache de cet ensemble ce qui m'apparaît d'un intérêt capital : *le Testament d'Orphée* et *le Requiem*.

Avec *le Testament d'Orphée*, Cocteau a voulu donner un exemple transcendant de Portrait-souvenir cinématographique. Il révèle par ce film (où sont incarnées en images frappantes et simples les plus subtiles méditations du « Journal d'un Inconnu ») les possibilités infinies d'une « caméra-stylo » dont l'agilité serait mise au service de l'Invisible. Ce prodigieux inventaire de trésors intérieurs, Cocteau le dresse pour nous en personne, puisqu'il joue dans le film son propre rôle. (Comme Mauriac, comme Gide, dans les documentaires à eux consacrés.) Ainsi *le Testament* conserve-t-il pour les scoliastes présents et à venir le maximum de renseignements sur son auteur. Par la nouveauté absolue de sa recherche secrète et en dépit de ses beautés formelles, l'importance de ce film a échappé jusqu'à présent à la plupart des critiques et au public des salles de luxe.

Le Requiem fut écrit en 1959 pendant les suites d'une hémorragie profonde. Le poète couché sur le dos devait écrire au plafond « comme marchent les mouches » et ses pattes de mouche réclamèrent un décryptage de trois années. Œuvre considérable dans tous les sens du terme, puisque ce « fleuve d'encre » sinue tout au long de presque deux cents pages imprimées et que son cours aux rebondissements multiples entraîne de fabuleuses richesses, mais en préservant sous la nappe étincelante de sa surface, d'autres splendeurs englouties...

PAR LUI-MÊME

En ce qui concerne le Requiem, m'a écrit Jean Cocteau, *il s'agit d'une expérience de malade, où comme dans le rêve qui nous prive de tout contrôle, je devais écrire avec le maximum de sang possible et le minimum de contrôle. Contrôle analogue à celui qui empêche le somnanbule de tomber du toit.*

Il serait impossible sans indécence de commenter cette somme de poésie où Cocteau chante sur tous les tons, passant du clair à l'obscur, du figuratif à l'abstrait, de la confession au lyrisme pur. Ce vaste poème est comme le faisceau de tous les pouvoirs de son auteur, en même temps que la conclusion solennelle d'une œuvre qui, relue en son entier depuis la mort de Jean Cocteau, m'apparaît, non plus tel un monument mais tel un *élément*. Un élément fécond, mouvant, inépuisable, comme la mer.

Anthologie

C'est à cette époque (la veille
de 14) que j'ai compris (mal)
que j'ai plutôt éprouvé,
le sentiment irrésistible
d'une mission — sans savoir
laquelle — Et maintenant
que la mission est accomplie,
je n'en sais pas davantage.

L'Eugène, le premier Eugène, « l'envoyé des Eugènes », me fascina. Il tenait du priodonte, des larves, de la cornue, de la courbe d'Aor, de l'orbe, du gyroscope orné de murmure. Je ne le baptisai pas. « Tiens, dis-je, un Eugène ! », comme ces nègres s'écriant : « Christophe Colomb ! » et qui ajoutent : « Nous sommes découverts. »

Les Eugènes me transmirent leur nom comme ils m'avaient envoyé le schéma d'une silhouette équivalente à leur masse informe.

Toujours est-il qu'un Eugène était là, sans que je me souvinsse l'avoir jamais dessiné, debout, l'œil fixe, la bouche sournoise, la manche courte.

La chevelure m'intrigue encore. On m'affirme que c'est une légère plaque métallique, roulée à la base ; mais ces apparences importent peu. A ce compte un vif étonnement j'aurais eu, de leur costume au nôtre si pareil. Je répète que cela n'a pas d'importance, n'a qu'une importance secondaire. Tout de suite j'ai réalisé que ce bonhomme à la plume était, par rapport à l'infini, le nombre, l'oursin d'or qui représente les étoiles, un signe conventionnel.

J'éprouvai le soulagement, atroce, d'un faible qui se trouve une bonne fois nez à nez avec son ennemi.

Or, au lieu que, mi-riant, mi-inquiet, j'inventai (je crus inventer) tout des Mortimer, et aussi leur nom qui ne cache rien, sinon que le mot « mort » s'y incruste, je n'inventai rien des Eugènes. Ils continuaient à s'imposer par escouades. Les personnes qui m'entouraient virent que j'en étais à peine responsable. Ils les regardaient descendre par ma plume, comme dans ces baromètres anéroïdes qui ressentent l'orage et qui en inscrivent l'Alpe.

Bientôt les Eugènes me devinrent une pierre de touche de la sensibilité. Il suffisait de les mettre en face du patient et d'attendre. Expérience décisive. Les personnes fermées au miracle ne m'intéressent pas. Toujours elles seront inaptes à aimer ce que j'aime ou du moins à l'aimer pareillement.

J'appris peu à peu que les Eugènes désirent un s au pluriel, à la persistance avec laquelle dix fois je recommençai de suite ce que nous crûmes d'abord être une faute d'orthographe.

J'avais donc reçu, sinon l'ordre, du moins *la manie* de sortir l'Eugène du buvard où je le voyais aussi plastique et aussi indéchiffrable qu'un hiéroglyphe qui représente un crocodile et qui raconte une bataille. Je le considérais, ne cherchant même plus les raisons de sa force. Je m'accoutumais docilement à lui.

Mes recherches pour le délivrer de sa prison plate !
Je ne me rappelle pas m'être dit : « Ce serait amusant de dessiner toutes ses poses possibles », mais bien : « Il faut combiner pour cet Eugène une évasion relative. »

Comme je suis poète, je dessine mal. Je connus les surprises du premier homme qui découvrit le trois-quarts sans le faire exprès.

Imagine, à la faveur d'une ligne maladroite, *pour la première fois*, un bonhomme qui marche vers l'intérieur de la chambre.

La manière dont l'Eugène me communiqua sa volonté de se mouvoir dans trois dimensions me revient à la mémoire aussi précise que cette nuit de septembre. A force de le regarder et d'être suivi par son petit œil, je m'aperçus que deux lignes près de la courbe du nez et à l'occiput, l'une que Ramsès eût prise pour une tache et l'autre pour une crosse, n'attendaient, afin de mettre en relief le nez et les cheveux, qu'une ligne de retouche. La première était l'angle d'une section courbe du nez ; l'autre, l'arête, pour ainsi dire, d'un parchemin roulé à demi.

Il ne me restait plus qu'à suivre l'exemple. Après le nez et les cheveux vinrent la joue, la bouche, le col, la cravate, le ventre, les jambes et les petites bottines absurdes. Bientôt il y eut partout des Eugènes et aucun d'eux n'étant jamais identique, je les supposai un et innombrables, comme le zéro, collier du néant.

Avais-je déjà vu quelque chose que les Eugènes me rappelassent ? Je croyais saisir, perdre et ressaisir, montant et replongeant comme un ludion dans l'élément de la pensée, une circonstance analogue à celle de leur naissance terrestre, un vague rapport ancien entre ce buvard et un autre buvard, entre le moi de ce geste et un autre moi jumeau que je ne pouvais atteindre.

J'ai connu plus tard que c'était une farce des femmes Eugènes. Faire imaginer tout à coup, dans l'espace d'un millième de seconde, avoir vu déjà ou entendu ailleurs et dans les mêmes circonstances un spectacle ou une phrase qui frappe notre œil et notre oreille.

Les femmes Eugènes chatouillent les neurones de la mémoire un peu avant que l'image ou les sons touchent les sens, et l'imbroglio provoque ce déséquilibre qui nous fait nous souvenir d'une perception, à l'instant même où elle nous parvient, comme d'une chose ancienne et déjà morte.

Je vous vois sourire, Axonge. Que répondre à votre gravité savante ?
Là où un mur oblige les philosophes et les savants à des haltes méticuleuses débute le poète.

La science ne sert qu'à vérifier les découvertes de l'instinct.

Je voudrais vous citer deux phrases. Elles me furent dites par H. Poincaré quelques jours avant sa mort. J'étais bien jeune et je l'avais rencontré chez Alysse. Voici la première : « Pourquoi seriez-vous timide ? C'est à moi de l'être. Votre jeunesse et la poésie sont deux privilèges. Le hasard d'une rime sort parfois un système de l'ombre, et la gaîté attrape le mystère au vol. » La seconde était mieux :

« Oui, oui, dit cet homme intègre, je devine. Vous voudriez savoir où nous en sommes avec l'inconnu. Chaque jour apporte un prodige dans nos laboratoires, mais la responsabilité nous oblige au silence professionnel. Je vois des choses, je vois des choses... (Et il retira son binocle.) La foi qu'on nous porte ne peut se nourrir que de certitude. L'inconnu !... »

J'entends le samovar et un bateau-mouche sur la Seine.
« Il est par rapport à nous, à l'heure actuelle, comme

pour des mineurs creusant une galerie, le choc sourd, les premiers coups de pioche des mineurs qui viennent à leur rencontre. »

Avouez, Axonge, ce n'est pas mal ? Du reste, il en est mort. ON l'a fait mourir : la police de l'inconnu.

Mais je m'écarte ; où en étais-je ? Ah ! oui, votre sourire après l'hypothèse du jeu des femmes Eugènes, ce qui motive (ayons de l'ordre) un éclaircissement sur leur apparition.

Comment les femmes Eugènes apparurent ? Un soir, et d'elles-mêmes, sur une page où vagabondait ma main morte.

Vous devez connaître, Persicaire, la petite aube, les charrettes de légumes place de la Concorde. On rentre chez soi. L'effort de se déshabiller et de se mettre au lit, on le retarde. Il est au-dessus des forces. A vrai dire, je ne vis la chose que le lendemain, parmi des griffonnages. Molle et grave, une des femmes se trouvait confondue avec un Eugène. Le départ du trait de plume dont elle était faite lui sortait des côtes.

Je dessinai le couple.
Puis une troupe.
Puis l'album.

. . . .   *Potomak* (Extrait)

Avec Garros, j'essayai-
en vain — une fuite naïve
qui n'est possible que
dans le domaine de l'esprit.
L'artiste est un bagne

Dont les oeuvres s'évadent.
Il st normal que toutes
les polices du monde les
poursuivent.

Péninsule
de hauteur

Prisonnier sur parole de la terre
à quatre mille de hauteur
à l'infini de profondeur

Un cerf-volant de ton enfance
soudain sans fil tu t'émancipes
assis dessus

De ta main d'ours Garros
alors
tu me signales quelque chose

et je me suis penché au bord du gouffre
et j'ai vu Paris sur la terre

et plus humble ma ville
à sa mesure
déserte d'hommes
faible seule sa Seine en jade
et plus je la regardais décroître
et plus je sentais croître mon triste amour

Car celui-là qui s'éloigne de ce qu'il aime
pour détruire son triste amour
la figure de ce qu'il aime
s'isole se dépouille
cache le reste
et davantage le tourmente

et celui-là qui monte
s'il se penche
et voit les pauvres lieux du monde
baisse la tête
et souhaite revenir à sa prison

Un univers nouveau
                    chavire
roule des spasmes de nuit verte
étouffe le noyé buveur
ivre de mort limpide
J'embarque à fond de cale
un paquet de ciel froid

Une pâle géographie

L'alcool des atmosphères
où la maison
devient énorme
avec aisance

et rapetisse vite

Herbier de paysages vides

Faudra-t-il
redescendre
où subsiste un fléau fabuleux de Genèse

Les Sodome les Gomorrhe
du fond visible aux nageurs
de la mer morte
là dessous

Le fleuve même pétrifié
coupe net en deux la lune

Lorsque nous atterrîmes
je crus que nous volions encore à deux mille mètres

ô surprise

car pour une forêt profonde je prenais
les bruyères de la prairie.

Le Cap de Bonne-Espérance (Extrait).

Ce poème n'est pas un de ceux
qui me furent dictés par
un moi nocturne. J'y
commets la faute de vouloir
dire certaines choses d'une
certaine manière. Or, la poésie
est une langue à part que
le moi nocturne parle et
nous dicte.

On réussit le tour
Grâce au nœud de cravate.

Jamais un acrobate
Ne tombe dans la cour.

Le cygne dit à l'âne :
Si vous avez une âme,
Mourez mélodieux.

L'aveugle devint sourd
Et il y voyait mieux.

On dit à ce jeune homme :
Mon beau convalescent,
Vous n'avez pas de barbe,
Tournez-vous contre un arbre
Et comptez jusqu'à cent.

Quand il releva son visage,
Il n'eut pas la force de crier ;
Car les uns étaient en voyage
Et les autres s'étaient mariés.

Pauvre Jean.

Le Paradis, tombant, s'était cassé dans l'ombre.
Les coups de pistolet, d'où naissent les colombes,
Faisaient mille marins s'envoler des vaisseaux,
Pour chercher, à tâtons, ses chiffres, ses morceaux.

On accrochait partout des balcons, des échelles ;
Les femmes, n'ayant rien à se mettre sur elles,
Appelaient au secours de leur lit aux pieds d'or.
Les matelots entraient et changeaient le décor.

Une morte, riant dans son cercueil de verre,
Conduisait les chevaux de son char, ventre à terre
(Ce char appartenait au marchand de coco)
C'était Herculanum, Pompéï, Jéricho.

Je n'ai jamais rien vu de plus fou sur la terre.

Souvenirs de Naples.

J'imitai la jeunesse
qui cherche les aventures
à l'extinieur, alors
que les véritables

145

aventures sont internes.

J'ai vécu avec les pauvres de la guerre.
J'ai vu l'ancêtre jeune
graver l'auroch.
J'ai vu le guetteur
qui est la plante oreille et la plante œil,
prendre racine.

Les soldats en marche que la boue
retient
avec des baisers de nourrice.
J'ai vu ce que l'homme aurait pu être
et ce que, grâce au ciel, il n'est plus ;
car alors il fallait s'en tenir à l'éponge.

J'ai vu le vrai héros qui se surmonte
et le criminel timide qui trouve,
enfin,
impunément, l'occasion du crime.
Celui-ci et celui-là sous la même palme.

J'ai entendu le bruit de la relève de nuit,
les pieds qui mâchent,
le choc du bidon contre la crosse.

La torpille du crapouillot, un coffre-fort
mal attaché au câble, hésite,
et tombe à pic du dernier étage,
écrasant les badauds dans la rue.

Le soir, à quelques mètres, j'ai entendu
le silence de Fafner,
bourré d'électriciens, de machinistes.
Il neige.
La fusillade tape ses coups de trique
sur des planches.
L'ombre des chandelles
romaines titube.

Déchariot ! mon pauvre vieux,
qu'est-ce qu'on t'a fait ?
Ton sang se sauve, et la mort entre
par quatre trous.

J'ai emporté le capitaine.
La voiture bascule
sur la route défoncée par les marmites.
Je lui tenais le bras
et je ne m'apercevais pas qu'il était mort
parce que son bracelet-montre
continuait de vivre dans ma main.

Blaise, on t'a arraché ta main droite.
Tu as porté ta main, comme un perdreau tué,
pendant des kilomètres.
Ils t'émondent
pour que les poèmes coloriés refleurissent.

Discours du grand sommeil (Extrait).

J'ai voulu jouer à Barrès la farce transcendante qu'il avait jouée à Renan

On raconte que Barrès a du sang gitan. C'est possible. Un gros œillet rouge ne choquerait pas sur son oreille, bien que le voisinage d'une œillère donne à cet œillet un genre chevalin. Chevalin ? C'est encore possible. Plus je tire de notes de ma poche, plus je regarde, plus je reconnais cet œil, cette bouche, cette mèche d'un cheval de picador, riant de douleur au soleil. La pourriture fleurie dégage des encens puissants. Les charniers plaisent à Barrès. Son bel œil se mouille. Cet œil et sa mèche de cheveux évoquent un corbeau et le cheval qui succombe. Je distingue aussi dans ce nez et cette peau jaune la race des Prométhées qui deviennent leur propre vautour.

Ici, le mal d'estomac dicte une méthode, sorte de régime supérieur. Un estomac ramène au foyer, à la tisane. Par la suite, cela se nomme Devoir.

Barrès ! Comme je vous imagine bien en monôme autour de la Sorbonne, conspuant quelque Thalamas.

Visites à Maurice Barrès (Extrait).

Ces notes sont un exemple
de cet esprit de contradiction
que l'esprit de création
transcende.
Le jeunesse voit contredire des
habitudes, désobéir à des
ordres. Notre époque sans
cadres, sans ordres, la prive
de ce luxe.
En 1916 les ordres étaient
anarchiques. J'inventai
donc <u>un ordre considéré</u>
<u>comme une anarchie.</u>

* L'art c'est la science faite chair.
* Le musicien ouvre la cage aux chiffres, le dessinateur émancipe la géométrie.
* Une œuvre d'art doit satisfaire toutes les muses. C'est ce que j'appelle : Preuve par 9.
* Un chef-d'œuvre est une partie d'échecs gagnée échec et mat.
* UN JEUNE HOMME NE DOIT PAS ACHETER DE VALEURS SURES.

* Le tact dans l'audace c'est de savoir *jusqu'où on peut aller trop loin.*
* Il faut perdre un préjugé baudelairien ; Baudelaire est un bourgeois. La bourgeoisie est la grande souche de France ; tous nos artistes en sortent. Fils de familles émancipés. Peut-être qu'ils s'en affranchissent, mais elle leur permet de construire dangereusement sur une base.
* Il y a une maison, une lampe, une soupe, du feu, du vin, des pipes, derrière toute œuvre importante de chez nous.
* L'instinct demande à être dressé par la méthode, mais l'instinct seul nous aide à découvrir une méthode qui nous soit propre et grâce à laquelle nous pouvons dresser notre instinct.
* Le rossignol chante mal.
* Parmi les comédiens, il y a des prestidigitateurs et cela nous amuse, mais on ne leur pardonne que si le tour a lieu. Mettre un lapin dans un chapeau et sortir des cages, voilà qui est bon ; mais mettre un lapin et sortir un lapin..., ce mauvais prestidigitateur voudrait-il se faire prendre pour un poète ?
* Un artiste peut ouvrir, en tâtonnant, une porte secrète et ne jamais comprendre que cette porte cachait un monde.
* C'est ainsi que si l'homme qui passe pour le père d'une école parce qu'il la décida, hausse un jour les épaules et la renie, cela ne discrédite en rien cette école.
* La source désapprouve presque toujours l'itinéraire du fleuve.
* L'artiste, c'est le vrai riche. Il roule en automobile. Le public suit en omnibus. Comment s'étonnerait-on qu'il suive à distance ?
* LA VITESSE D'UN CHEVAL EMBALLÉ NE COMPTE PAS.
* Méfiez-vous de Monsieur Prudhomme qui marche sur les mains.
* LORSQU'UNE ŒUVRE SEMBLE EN AVANCE SUR SON ÉPOQUE, C'EST SIMPLEMENT QUE SON ÉPOQUE EST EN RETARD SUR ELLE.
* Un artiste ne saute pas de marches ; s'il en saute, c'est du temps perdu, car il faut les remonter après.
* Un artiste qui recule ne trahit pas. Il *se* trahit.
* L'émotion qui résulte d'une œuvre d'art ne compte vraiment que si elle n'est pas obtenue par un chantage sentimental.
* En art, toute valeur qui se prouve est vulgaire.
* IL FAUT ÊTRE UN HOMME VIVANT ET UN ARTISTE POSTHUME.

Le Coq et l'Arlequin (Extrait).

"Le Secret Professionnel"

fut écrit au bord du
Bassin d'Arcachon, sous
l'influence de Radiguet.
il venait — à quatorze ans —
de comprendre qu'il
importait de contredire
un nouveau conformisme :

$$L'Avant\ garde$$

Notre âge mérite d'être surnommé l'âge du quiproquo. L'abondance des livres et des moyens de publier en est une des causes. Certes, il n'a jamais existé de chefs-d'œuvre inconnus et ceux qu'on nous déterre sont de faux chefs-d'œuvre. Ce qui doit pousser, pousse, fleurir, fleurit.

Mais jamais les jeunes n'eurent tant de facilités pour paraître. Chacun parle, s'exprime, complique le jeu, surcharge Arthur Rimbaud et Stéphane Mallarmé, embaume de vieilles anarchies.

La nuit de Rimbaud met en valeur son système d'étoiles. Mallarmé, à force de nuit, de carbone pur, arrive au diamant.

Depuis, ce qu'on nomme *poésie moderne* exploite leur découverte. Il ne reste que charbon, que ténèbres.

J'ai tenté d'écrire quelques pages sur les enfants et les fous par rapport aux poètes. Mais le sujet est à la mode, et je ne m'y sens pas assez seul pour m'y plaire.

Voici pourtant mon opinion en trois lignes :

Couper le nœud Gordien n'est pas dénouer le nœud Gordien. Enfants et fous coupent ce que le poète met toute une vie de patience à dénouer. La corde servira aux autres qui doivent refaire un nœud et ainsi de suite. Aux mains des fous et des enfants les plus prodigieux, il ne reste que bouts de corde.

Le secret professionnel (Extrait).

Les poèmes de Plain Chant
me furent dictés par une
zone d'ombre où règne
un maître dont je suis
le serviteur — (C'est
le maître qui me déguise
en sa personne comme

*Don Juan déguisé Leporello
pour qu'on le rosse à sa place.*

Je n'aime pas dormir quand ta figure habite,
        La nuit, contre mon cou ;
Car je pense à la mort laquelle vient si vite
        Nous endormir beaucoup.

Je mourrai, tu vivras et c'est ce qui m'éveille !
        Est-il une autre peur ?
Un jour ne plus entendre auprès de mon oreille
        Ton haleine et ton cœur.

Quoi, ce timide oiseau, replié par le songe
        Déserterait son nid,
Son nid où notre corps à deux têtes s'allonge
        Par quatre pieds fini.

Puisse durer toujours une si grande joie
        Qui cesse le matin,
Et dont l'ange chargé de construire ma voie
        Allège mon destin.

Léger, je suis léger sous cette tête lourde
        Qui semble de mon bloc
Et reste en mon abri, muette, aveugle, sourde,
        Malgré le chant du coq.

Cette tête coupée, allée en d'autres mondes,
        Où règne une autre loi,
Plongeant dans le sommeil des racines profondes,
        Loin de moi, près de moi.

Ah ! je voudrais, gardant ton profil sur ma gorge,
        Par ta bouche qui dort
Entendre de tes seins la délicate forge
        Souffler jusqu'à ma mort.

Plain-Chant (Extrait).

152

*Thomas, disait Gide, c'est
l'enfant qui, à force de
jouer au cheval, devient
cheval.*

Sur deux points de ce front, le méandre des lignes alle-
mandes et françaises se joignait presque. Le premier, nommé
Mamelon-Vert, près de Saint-Georges, le deuxième près de
la plage. De part et d'autre, on y avait creusé des postes
d'écoute.

Guillaume se glissa dans la sape. On ne passait qu'à
plat-ventre. Cette sape débouchait dans une fosse contenant
deux hommes. Le jour, ils jouaient aux cartes. Les ennemis
occupaient une fosse analogue à douze mètres. Chaque fois
qu'un des zouaves éternuait, une voix allemande criait : « Dieu
vous bénisse ».

Le long du mur de première ligne, sur une sorte de remblai,
de corniche, de piédestal, se tenaient, de place en place, les
guetteurs. Ce mur se composait de tout, comme le reste
de la ville. Outre les sacs, on le sentait fait avec des armoires
à glace, des commodes, des fauteuils, des dessus de piano,
de l'ennui, de la tristesse, du silence.

Ce silence, aggravé par la fusillade et le reflux, était pareil
au silence des boules de verre où il neige. On y marchait
comme on vole en rêve.

La botte de caoutchouc de Guillaume ayant glissé, il
remua l'eau. Un des guetteurs se retourna. C'était un goumier.
Il mettait le doigt sur la bouche. Ensuite, il redevint statue.

Car cet Arabe au burnous de journaux et de ficelle se
tenait plus immobile que, sur son cheval, Antar mort. Guillaume
contemplait, entre les sacs, enfarinée de lune, cette silhouette
d'un meunier jaloux, terrible, guettant avec un fusil, à une
lucarne de son moulin.

Ces guetteurs concentraient toute leur vie sur leur figure. S'ils rechargeaient, leurs mains allaient et venaient comme des domestiques. Aussi la France avait-elle, au bord de son manteau, une étonnante hermine de visages attentifs.

Mais, ce qui attirait Guillaume, c'était la bande qui foudroie, la bande mixte où poussent les ronces de fil de fer. Nul n'y pose le pied en dehors des attaques, sauf en patrouille, la nuit. Pour être d'une de ces patrouilles, Guillaume eût fait n'importe quoi.

Au lieu de cela, il rebroussait chemin. Il n'était que touriste. Il quittait le théâtre et se retrouvait dans la rue, sans partager la mystérieuse vie des acteurs.

Thomas l'Imposteur (Extrait).

Fragment d'une des plus grandes solitudes de la langue française. Le Verbe refuse de se mettre au service des idées.

L'ange Heurtebise, rue d'Anjou
Le dimanche, joue au faux pas
Sur le toit, boite marelle
A cloche-pied, voletant comme pie
Ou merle, ses joues en feu.
Attention, dites-moi tu.
Heurtebise, mon bel
Estropié, on nous épie à droite.
Cache tes perles, tes ciseaux
Il ne faut pas qu'on te tue
Car en te tuant chaque mois
Moi on me tue et pas toi.
Ange ou feu ? Trop tard. En joue
Feu !
Il tombe fusillé par les soldats de Dieu.

La mort de l'ange Heurtebise
Fut la mort de l'ange, la mort
Heurtebise fut une mort d'ange
Une mort d'ange Heurtebise
Un mystère du change, un as
Qui manque au jeu, un crime
Que le pampre enlace, un cep
De lune, un chant de cygne qui mord.

Un autre ange le remplace dont je
ne savais pas le nom hier
En dernière heure : Cégeste.

Heurtebise, ô mon cygne, ouvre
Ta cachette peu sûre. Une feuille
De vigne mise sur l'âme
Impudique, je t'achète
Au nom du Louvre, que l'Amérique
Le veuille ou non.

Heurtebise ne t'écarte
Plus de mon âme, j'accepte.
Fais ce que dois, beauté.
Qu'il est laid le bonheur qu'on veut
Qu'il est beau le malheur qu'on a.

Cheveux d'ange Heurtebise, lourd
Sceptre mâle, danger de l'eau
Du lait, malle de bonne en gare
Au regard de cet élégant animal
Sur la carte qui bouge : mon tombeau
De l'île aux doigts écartés.
Le malheur gante du sept.

Ange Heurtebise, les papillons battent
Mollement des mains malgré la nue.
Les soupapes et les oreillettes du cœur
Fleur de l'aorte, anthracite
Ouragan des points cardinaux.
Cordages de la nuit
La lune écoute aux portes.
La rose n'a pas d'âge
Elle a ses becs, ses gants
Et les journaux la citent
Avec les acrobates
Que la nuit et le jour
Échangent sans amour.

L'ange Heurtebise (Fragment).

avec le film Orphée, qui,
est mon Faust j'ai orchestré,
ensemble, et la pièce et le
sang d'un Poète.

> *Aussitôt après la dernière*
> *réplique de la Mort, on entend*
> *la voix d'Orphée dans le jardin.*

LA VOIX D'ORPHÉE - Vous ne la connaissez pas. Vous ne savez pas de quoi elle est capable. Ce sont des comédies pour me faire rentrer à la maison.

> *La porte s'ouvre, ils entrent.*
> *Heurtebise se précipite vers*
> *la chambre, regarde, recule*
> *et se met à genoux sur le seuil.*

ORPHÉE - Où est-elle ? Eurydice !... Elle boude. Ah ! ça... Je deviens fou ! Le cheval ! où est le cheval ? *(Il découvre la niche.)* Parti ! — Je suis perdu. On lui aura ouvert la porte, on l'aura effrayé ; ce doit être un coup d'Eurydice. Elle me le payera !

> *Il s'élance.*

HEURTEBISE - Halte !

ORPHÉE - Vous m'empêchez d'entrer chez ma femme !

HEURTEBISE - Regardez.

ORPHÉE - Où ?

HEURTEBISE - Regardez à travers mes vitres.

ORPHÉE *(Il regarde.)* - Elle est assise. Elle dort.

HEURTEBISE - Elle est morte.

ORPHÉE - Quoi ?

HEURTEBISE - Morte. Nous sommes arrivés trop tard.

ORPHÉE - C'est impossible. *(Il frappe aux vitres.)* Eurydice ! ma chérie ! réponds-moi !

HEURTEBISE - Inutile.

ORPHÉE - Vous ! laissez-moi entrer. *(Il écarte Heurtebise.)* Où est-elle ? *(A la cantonade.)* Je viens de la voir, assise, près du lit. La chambre est vide. *(Il rentre en scène.)* Eurydice !

HEURTEBISE - Vous avez cru la voir. Eurydice habite chez la Mort.

ORPHÉE - Ah ! peu importe le cheval ! Je veux revoir Eurydice. Je veux qu'elle me pardonne de l'avoir négligée, mal comprise. Aidez-moi. Sauvez-moi. Que faire ? Nous perdons un temps précieux.

HEURTEBISE - Ces bonnes paroles vous sauvent, Orphée...

ORPHÉE, *pleurant, effondré sur la table* - Morte. Eurydice est morte. *(Il se lève.)* Eh bien... je l'arracherai à la mort ! S'il le faut, j'irai la chercher jusqu'aux enfers !

HEURTEBISE - Orphée... écoutez-moi. Du calme. Vous m'écouterez...

ORPHÉE - Oui... Je serai calme. Réfléchissons. Trouvons un plan...

HEURTEBISE - Je connais un moyen.

ORPHÉE - Vous !

HEURTEBISE - Mais il faut m'obéir et ne pas perdre une minute.

ORPHÉE - Oui.

> *Toutes ces répliques d'Orphée, il les prononce dans la fièvre et la docilité. La scène se déroule avec une extrême vitesse.*

HEURTEBISE - La mort est entrée chez vous pour prendre Eurydice.

ORPHÉE - Oui...

HEURTEBISE - Elle a oublié ses gants de caoutchouc.

> *Un silence. Il s'approche de la table, hésite et prend les gants de loin comme on touche un objet sacré.*

ORPHÉE, *avec terreur* - Ah !

HEURTEBISE - Vous allez les mettre.

ORPHÉE - Bon.

HEURTEBISE - Mettez-les *(Il les lui passe. Orphée les met.)* Vous irez voir la Mort sous prétexte de les lui rendre et grâce à eux vous pourrez parvenir jusqu'à elle.

ORPHÉE - Bien...

HEURTEBISE - La Mort va chercher ses gants. Si vous les lui rapportez, elle vous donnera une récompense. Elle est avare, elle aime mieux prendre que donner, et comme elle ne rend jamais ce qu'on lui laisse prendre, votre démarche l'étonnera beaucoup. Sans doute vous obtiendrez peu, mais vous obtiendrez toujours quelque chose.

ORPHÉE - Bon.

HEURTEBISE *(Il le mène devant le miroir.)* - Voilà votre route.

ORPHÉE - Ce miroir ?

HEURTEBISE - Je vous livre le secret des secrets. Les miroirs sont les portes par lesquelles la Mort va et vient. Ne le dites à personne. Du reste, regardez-vous toute votre vie dans une glace et vous verrez la Mort travailler comme des abeilles dans une ruche de verre. Adieu. Bonne chance!

ORPHÉE - Mais un miroir, c'est dur.

HEURTEBISE, *la main haute* - Avec ces gants vous traverserez les miroirs comme de l'eau.

ORPHÉE - Où avez-vous appris toutes ces choses redoutables ?

HEURTEBISE, *sa main retombe* - Vous savez, les miroirs, ça rentre un peu dans la vitre. C'est notre métier.

ORPHÉE - Et une fois passée cette... porte...

HEURTEBISE - Respirez lentement, régulièrement. Marchez sans crainte devant vous. Prenez à droite, puis à gauche, puis à droite, puis tout droit. Là, comment vous expliquer... Il n'y a plus de sens... on tourne ; c'est un peu pénible au premier abord.

ORPHÉE - Et après ?

HEURTEBISE - Après, personne au monde ne peut vous renseigner. La Mort commence.

ORPHÉE - Je ne la crains pas.

HEURTEBISE - Adieu. Je vous attends à la sortie.

ORPHÉE - Je serai peut-être long.

HEURTEBISE - Long... pour vous. Pour nous, vous ne ferez guère qu'entrer et sortir.

ORPHÉE - Je ne peux croire que cette glace soit molle. Enfin, j'essaye.

HEURTEBISE - Essayez.

Orphée se met en marche.

D'abord les mains !

Orphée, les mains en avant, gantées de rouge, s'enfonce dans la glace.

ORPHÉE - Eurydice !...

Il disparaît.

Orphée (Extrait).

Le succès imprévu des
Enfants terribles vint

de ce qu'une foule de
jeunes vivaient, sans
que je m'en doutasse,
comme mes personnages,
que je croyais exceptionnels.

Ensuite, beaucoup de
jeunes vécurent par
artifice, d'après mon livre.

～

Ce soir-là, c'était la neige. Elle tombait depuis la veille et
naturellement plantait un autre décor. La cité reculait
dans les âges ; il semblait que la neige, disparue de la terre
confortable, ne descendait plus nulle part ailleurs et ne
s'amoncelait que là.

Les élèves qui se rendaient en classe avaient déjà gâché,
mâché, tassé, arraché de glissades le sol dur et boueux.
La neige sale formait une ornière le long du ruisseau. Enfin
cette neige devenait la neige sur les marches, les marquises

et les façades des petits hôtels. Bourrelets, corniches, paquets lourds de choses légères au lieu d'épaissir les lignes, faisaient flotter autour une sorte d'émotion, de pressentiment, et grâce à cette neige qui luisait d'elle-même avec la douceur des montres au radium, l'âme du luxe traversait les pierres, se faisait visible, devenait ce velours qui rapetissait la cité, la meublait, l'enchantait, la transformait en salon fantôme.

En bas, le spectacle était moins doux. Les becs de gaz éclairaient mal une sorte de champ de bataille vide. Le sol écorché vif montrait des pavés inégaux sous les déchirures du verglas ; devant les bouches d'égout, des talus de neige sale favorisaient l'embuscade, une bise scélérate baissait le gaz par intervalles et les coins d'ombre soignaient déjà leurs morts.

De ce point de vue l'optique changeait. Les hôtels cessaient d'être les loges d'un théâtre étrange et devenaient bel et bien des demeures éteintes exprès, barricadées sur le passage de l'ennemi.

Car la neige enlevait à la cité son allure de place libre ouverte aux jongleurs, bateleurs, bourreaux et marchands. Elle lui assignait un sens spécial, un emploi défini de champ de bataille.

Dès quatre heures dix, l'affaire était engagée de telle sorte qu'il devenait hasardeux de dépasser le porche. Sous ce porche se massaient les réserves, grossies de nouveaux combattants qui arrivaient seuls ou deux par deux.

— As-tu vu Dargelos ?
— Oui... non, je ne sais pas.

La réponse était faite par un élève qui, aidé d'un autre, soutenait un des premiers blessés et le ramenait de la cité sous le porche. Le blessé, un mouchoir autour du genou, sautait à cloche-pied en s'accrochant aux épaules.

Le questionneur avait une figure pâle, des yeux tristes. Ce devaient être des yeux d'infirme ; il claudiquait et la pèlerine qui lui tombait à mi-jambe paraissait cacher une bosse, une protubérance, quelque extraordinaire déformation. Soudain, il rejeta en arrière les pans de sa pèlerine, s'approcha d'un angle où s'entassaient les sacs des élèves, et l'on vit que sa démarche, cette hanche malade étaient simulées par une façon de porter sa lourde serviette de cuir. Il abandonna la serviette et cessa d'être infirme, mais ses yeux restèrent pareils.

Il se dirigea vers la bataille.

A droite, sur le trottoir qui touchait la voûte, on interrogeait un prisonnier. Le bec de gaz éclairait la scène par saccades. Le prisonnier (un petit) était maintenu par quatre élèves, son buste appuyé contre le mur. Un grand, accroupi entre ses jambes, lui tirait les oreilles et l'obligeait à regarder d'atroces grimaces. Le silence de ce visage monstrueux qui changeait de forme terrifiait la victime. Elle pleurait et cherchait à fermer les yeux, à baisser la tête. A chaque tentative, le faiseur de grimaces empoignait de la neige grise et lui frictionnait les oreilles.

L'élève pâle contourna le groupe et se fraya une route à travers les projectiles.

Il cherchait Dargelos. Il l'aimait.

Cet amour le ravageait d'autant plus qu'il précédait la connaissance de l'amour. C'était un mal vague, intense, contre lequel il n'existe aucun remède, un désir chaste sans sexe et sans but.

Dargelos était le coq du collège. Il goûtait ceux qui le bravaient ou le secondaient. Or, chaque fois que l'élève pâle se trouvait en face des cheveux tordus, des genoux blessés, de la veste aux poches intrigantes, il perdait la tête.

La bataille lui donnait du courage. Il courrait, il rejoindrait Dargelos, il se battrait, le défendrait, lui prouverait de quoi il était capable.

La neige volait, s'écrasait sur les pèlerines, étoilait les murs. De place en place, entre deux nuits, on voyait le détail d'une figure rouge à la bouche ouverte, une main qui désignait un but.

Une main désigne l'élève pâle qui titube et qui va encore appeler. Il vient de reconnaître, debout sur un perron, un des acolytes de son idole. C'est cet acolyte qui le condamne. Il ouvre la bouche : « Darg... » ; aussitôt la boule de neige lui frappe la bouche, y pénètre, paralyse les dents. Il a juste le temps d'apercevoir un rire et, à côté du rire, au milieu de son état-major, Dargelos qui se dresse, les joues en feu, la chevelure en désordre, avec un geste immense.

Un coup le frappe en pleine poitrine. Un coup sombre. Un coup de poing de marbre. Un coup de poing de statue. Sa tête se vide. Il devine Dargelos sur une espèce d'estrade, le bras retombé, stupide, dans un éclairage surnaturel.

Il gisait par terre. Un flot de sang échappé de la bouche barbouillait son menton et son cou, imbibait la neige. Des sifflets retentirent. En une minute, la cité se vida. Seuls, quelques curieux se pressaient autour du corps et, sans porter aucune aide, regardaient avidement la boue rouge. Certains s'éloignaient, craintifs, en faisant claquer leurs doigts ; ils avançaient une lippe, levaient les sourcils et hochaient la tête ; d'autres rejoignaient leurs sacs d'une glissade. Le groupe de Dargelos restait sur les marches du perron, immobile. Enfin le censeur et le concierge du collège apparurent, prévenus par l'élève que la victime avait appelé Gérard en entrant dans la bataille. Il les précédait. Les deux hommes soulevèrent le malade ; le censeur se tourna du côté de l'ombre :

— C'est vous, Dargelos ?
— Oui, monsieur.
— Suivez-moi.

Et la troupe se mit en marche.

Les enfants terribles (Extrait).

Ici, je transporte le style du musée secret, au théâtre.

ŒDIPE - Vous !

LE SPHINX, *d'une voix lointaine, haute, joyeuse, terrible* - Moi ! Moi ! Le Sphinx !

ŒDIPE - Je rêve !

LE SPHINX - Tu n'es pas un rêveur, Œdipe. Ce que tu veux, tu le veux, tu l'as voulu. Silence. Ici j'ordonne. Approche.

> *Œdipe, les bras au corps, comme paralysé, tente avec rage de se rendre libre.*

LE SPHINX - Avance. (*Œdipe tombe à genoux.*) Puisque tes jambes te refusent leur aide, saute, sautille... Il est bon

163

qu'un héros se rende un peu ridicule. Allons, va, va ! Sois tranquille. Il n'y a personne pour te regarder.

Œdipe se tordant de colère, avance sur les genoux.

LE SPHINX - C'est bien. Halte ! Et maintenant...

ŒDIPE - Et maintemant, je commence à comprendre vos méthodes et par quelles manœuvres vous enjôlez et vous égorgez les voyageurs.

LE SPHINX - ... Et maintenant je vais te donner un spectacle. Je vais te montrer ce qui se passerait à cette place, Œdipe, si tu étais n'importe quel joli garçon de Thèbes et si tu n'avais eu le privilège de me plaire.

ŒDIPE - Je sais ce que valent vos amabilités. *(Il se crispe des pieds à la tête. On voit qu'il lutte contre un charme.)*

LE SPHINX - Abandonne-toi. N'essaye pas de te crisper, de résister. Abandonne-toi. Si tu résistes, tu ne réussiras qu'à rendre ma tâche plus délicate et je risque de te faire du mal.

ŒDIPE - Je résisterai !

Il ferme les yeux, détourne la tête.

LE SPHINX - Inutile de fermer les yeux, de détourner la tête. Car ce n'est ni par le chant, ni par le regard que j'opère. Mais, plus adroit qu'un aveugle, plus rapide que le filet des gladiateurs, plus subtil que la foudre, plus raide qu'un cocher, plus lourd qu'une vache, plus sage qu'un élève tirant la langue sur des chiffres, plus gréé, plus voilé, plus ancré, plus bercé qu'un navire, plus incorruptible qu'un juge, plus vorace que les insectes, plus sanguinaire que les oiseaux, plus nocturne que l'œuf, plus ingénieux que les bourreaux d'Asie, plus fourbe que le cœur, plus désinvolte qu'une main qui triche, plus fatal que les astres, plus attentif que le serpent qui humecte sa proie de salive ; je sécrète, je tire de moi, je lâche, je dévide, je déroule, j'enroule de telle sorte qu'il me suffira de vouloir ces nœuds pour les faire et d'y penser pour les tendre ou pour les détendre ; si mince qu'il t'échappe, si souple que tu t'imagineras être victime de quelque poison, si dur qu'une maladresse de ma part t'amputerait, si tendu qu'un archet obtiendrait entre nous une plainte céleste ; bouclé comme la mer, la colonne, la rose, musclé comme la pieuvre, machiné comme les décors du rêve, invisible surtout, invisible et majestueux comme la circulation du sang des statues, un fil qui te ligote avec la volubilité des arabesques folles du miel qui tombe sur du miel.

ŒDIPE - Lâchez-moi !

LE SPHINX - Et je parle, je travaille, je dévide, je déroule, je calcule, je médite, je tresse, je vanne, je tricote, je natte, je croise, je passe, je repasse, je noue et dénoue et renoue, retenant les moindres nœuds qu'il me faudra te dénouer ensuite sous peine de mort ; et je serre, je desserre, je me trompe, je reviens sur mes pas, j'hésite, je corrige, enchevêtre, désenchevêtre, délace, entrelace, repars ; et j'ajuste, j'agglutine, je garrotte, je sangle, j'entrave, j'accumule, jusqu'à ce que tu te sentes, de la pointe des pieds à la racine des cheveux, vêtu de toutes les boucles d'un seul reptile dont la moindre respiration coupe la tienne et te rende pareil au bras inerte sur lequel un dormeur s'est endormi.

La machine infernale (Extrait).

J'entrais dans la vie.
L'Impératrice en sortait
nous nous sommes croisés
à la porte.

La jeunesse qui entre, croise à la porte, la vieillesse qui sort. C'est une minute interminable, une figure de menuet effrayante, une nuit des temps. Ce contact de mains forme une chaîne qui n'en finit plus. Il fallait vaincre ma timidité, ma paresse et me laisser conduire par Lucien, véritable garçon d'honneur de cette petite cour de Cyrnos et de Farnborough-Hill, jusqu'à l'Impératrice. Il faisait une chaleur intense. Les cigales chantaient comme la fièvre et la quinine. La mer miroitait et se pourléchait au bord.

On raconte que Tarquin le Superbe cinglait les pavots et leur fauchait la tête. C'est un symbole d'activité. L'Impératrice, elle, détestait les fleurs. Elle les bâtonnait de sa canne à béquille, les écartait de sa route. Aussi nous traversâmes un jardin sec, tout en rocs et en cactus. Un vrai jardin espagnol aux plantes raides, plus poignardées, plus hérissées de pointes que des madones.

Je commençais à perdre contenance, à craindre l'apparition qui ne pouvait tarder (l'Impératrice se promenait et nous marchions à sa rencontre), à me représenter le Décameron de Winterhalter : l'Impératrice, assise au milieu de ses filles d'honneur, mille fois moins rassurantes que les grenadiers de la Garde, lorsque la rencontre eut lieu, rapide, inattendue, noire et petite comme un accident. Et, comme dans un accident, j'eus tout le loisir de voir l'obstacle approcher au ralenti, de contrôler mes nerfs, de n'éprouver aucune émotion, de ne pas perdre la tête.

L'Impératrice débouchait d'une allée tournante. Madame de Mora, le comte Clary l'accompagnaient et parurent ensuite. Elle grimpait, vêtue d'une espèce de soutane, coiffée d'un chapeau de prêtre, s'appuyant sur une béquille, pareille à quelque fée des chèvres. Ce qui me frappa d'abord, c'est le peu d'espace qu'elle occupait, sa taille réduite comme ces têtes momifiées par les sauvages qui tuèrent son fils, cette tache, en plein soleil, d'encre. Et je me rendis compte qu'il ne restait de la montgolfière que le gobelet à essence carbonisé, que le cœur noir du pavot. Ce qui manquait autour de cette femme pour que je pusse la reconnaître, c'était la crinoline, le saute-en-barque, le spencer, les suivez-moi jeune homme, le vaste chapeau de paille qui se balance, la couronne de fleurs champêtres et la minuscule ombrelle cassée de Chantilly.

Le visage est pareil. Il a gardé sa délicate forme ovale. Il semble qu'une jeune femme malheureuse a trop enfoui son visage dans ses mains et qu'à la longue les lignes de ses mains y ont laissé leur empreinte. Les yeux conservent un bleu céleste, mais le regard s'est délayé. Une eau bleue vous inspecte. Ce bleu et le crayon noir qui le souligne fait penser aux yeux tatoués des jeunes matelots du bagne devenus des vieillards libres. Sur ces vieillards, on retrouve, avec surprise, les signes indélébiles de la beauté en colère.

Portraits Souvenir
(L'Impératrice Eugénie).

Propriété involontaire des poètes.

La place de la Madeleine était en ruines. Elle évoquait le Forum romain et son désordre atroce de maison cambriolée. Autour de la place, sauf le nôtre protégé par quelque charme, les immeubles ouverts montraient en coupe des vestiges de boutiques, de banques, de chambres mortes, d'appartements. Des coffres-forts, des baignoires, des fauteuils flottaient au bord de précipices, et des portes, par miracle, tenaient, toutes seules, debout. Un déluge de plâtre et de jets de flammes s'était partagé les décombres. Il les tigrait, et des pans de murs, des kiosques, des corniches restés intacts permettaient de mesurer le travail. D'où venait ce travail ? Pourquoi, comme enchantés, n'en avions-nous pas eu d'échos ? Quels étaient les responsables ? Les hommes ? La foudre ? Les astres ? Nous regardions, derrière mes vitres indemnes, statufiés de crainte, ce désordre profane de mauvaises herbes, de colonnes détruites, d'égouts. Du temple de la Madeleine nous ne vîmes que cette espèce de forum rectangulaire. Jusqu'où s'enfonçaient les crevasses ? Retrouverai-je la salle de l'invisible ? Le Potomak survivait-il ?

Derrière nous, dans la chambre, circulaient, depuis quelques instants, des personnes étrangères, le visage dissimulé sous des masques à gaz d'un modèle sinistre. Ces personnes portaient des fourches, reliées à des piles électriques. Lorsque ces fourches nous frôlaient, les porteurs s'écartaient avec politesse. Mais on sentait qu'ils nous eussent laissés mourir de faim sans nous venir en aide. Il ne parlaient pas notre langue. *Nous ne les intéressions pas.*

La fin de Potomak (Extrait).

Ce poème marche au bord de la guerre comme un somnambule au bord des toits.

Le jeune homme dormait sous la pointe du glaive.
Son avenir en lui luttant et bondissant,
Comme le chien joueur se mélangeait au sang.
Il souriait, au bord d'un siècle qui s'achève.

L'averse trépignait sur les dalles du quai ;
Dehors un fleuve gras roulait une huile beige.
Le poète, pour qui réussir c'est manquer,
Veillait à la fenêtre en armure de neige.

Depuis quinze ans (oui juste) il n'avait plus écrit.
Il attendait un ordre et qu'un destin l'y force.
Et voilà que, pareil à l'arbre, sans un cri,
Sans un geste, un sang bleu coule de son écorce.

Mais qu'est-ce que cela veut dire ? Qu'est-ce que
Cela veut dire ? On se le demande...
Si les dames du ciel viennent en robe à queue
Poursuivre un homme seul jusqu'au fin fond des Landes.

Et vous infligent d'écrire dans un hôtel
En laissant à Paris une mère malade.
Solitude, ma camarade,
Avez-vous jamais rien, jamais rien vu de tel ?

Vivre encore un peu ces minutes, goutte à goutte.
L'histoire de France, un livre sur les genoux,
Lèche du sang (car rien ne la dégoûte)
Et ne tourne jamais son œil glacé vers nous.

Je me demande pourquoi je chante
Tel qu'un cygne malade et qui meurt à ravir.
Peut-être est-il en moi l'espérance touchante
Que le sort se détournerait pour me servir.

L'incendie (Fragment).

*Essai de bel canto dans
un opéra parlé, écrit
pour la Comédie Française.*

ARMIDE

Écoutons, Oriane... Il lamente.

RENAUD

Beaux jardins. Arbres verts...

ARMIDE

Vois, il gonfle son col.
Il cherche sa chanson comme le rossignol.

RENAUD

Beaux jardins, arbres verts, vous me tuez la vie.
De parler, de crier, n'avez-vous pas envie,
Pourquoi vous taisez-vous en écoutant mes pleurs ?
Ne pouvez-vous parler par la gorge des fleurs ?
Ou crier à travers la fente des écorces ?
Ne pouvez-vous me plaindre et réunir vos forces,
Pour me dire où se cache Armide, beaux jardins ?
Arceaux, vasques, pelouse, insensibles gradins,
Pourquoi ne m'opposer que des grâces têtues ?
Empruntez s'il le faut la bouche des statues,
Pour rompre le silence où nul ne veut m'ouïr.
Beaux jardins, répondez, je vais m'évanouir !
Que votre voix me nomme Armide et la dénonce.

Rosier, rosier profond, désemmêle ta ronce
Que la mort alimente et que l'amour mêla ;
Que ta rose me parle et me dise : « C'est là ».
« C'est là que ton Armide a déchiré sa robe,
« C'est là qu'un enchanteur à tes yeux la dérobe,
« C'est là qu'elle s'accoude et là qu'on lui dit : non,
« Lorsqu'elle veut graver les lettres de ton nom ».
Beau jardin, tu te tais, tu ris, tu m'abandonnes.
Mais alors, pavillon, parle avec tes colonnes,
Parle avec ton arcade, avec tes escaliers.
Objets ! Ne se peut-il que vous me parliez ?
Hélas, Renaud ne sait ce dont il est capable.
De quoi me suis-je, Armide, ici rendu coupable ?
Est-ce la guerre ? Soit. Périssent mes guerriers !
Afin que près de moi, les bêtes des terriers
Sortent des corridors de leur caverne humide
Et me disent : « Je sais où l'on enferme Armide. »
Armide ! Armide ! A moi ! Soulage mes douleurs !
Beaux jardins, arbres verts, vous me tuez la vie.
De parler, de crier, n'avez-vous pas envie ?
Pourquoi vous taisez-vous en écoutant mes pleurs ?

Renaud et Armide (Acte II, scène II).

La Crucifixion est, avec
l'Ange Heurtebise, un
poème à la naissance duquel
je ne me suis mêlé que
dans la mesure où il

patient sculpte une forme
à l'ectoplasme qu'coule
de sa bouche.

Sérénissime. Les claies
sur l'arbre. L'échelle
sur l'arbre mort debout.
L'échelle debout sur l'arbre
mort. La loupe
des larmes.
Ils virent alors le fil de fer
barbelé. L'ombre. Ils virent
alors la châtaigne
de clous. Les veines
du bois. Les veines d'homme.
Les chemins qui se croisent. Le linge
qui nouait les chemins
l'un sur l'autre et le vent immobile
et la persienne arrachée.
Ils virent lier et délier
les claies. L'ombre. La pointe à poutres.
Le vantail. L'entaille. L'époux.
L'épouvantail hérissé d'ailes.
Le rosier ignoble. L'échelle
du tonnelier.

Une claie. Une haie debout
d'épines. La boue
du sommeil. Le soleil
à travers une épave de barque.
Les huîtres les moules et autres
coquilles mortes sur l'arbre
foudroyé des naufrages.
Qui je vous le demande colle
aux vitres
qui, cette croûte blanche
de givre en forme
d'écorché
vif ?

Sérénissime. Au lieu de mandragore pousse
une racine d'entrailles.
Quelle forme elle a ! D'incendie
pétrifié par l'eau.
Quelle eau ! Par la glu
des glaires par le feu de joie
des fous par la chute

du rideau de fer des boutiques.
De cire faite et d'aiguilles.
De cris enfoncés à coups
de marteau dans le système
nerveux d'un arbre
de Judée.

La Crucifixion (Fragment).

Ces "portraits" furent écrits
pour illustrer des dessins
de Bérard qui relèvent
de l'écriture.

Louise de la Baume Le Blanc, Duchesse de la Vallière,
est en fin de compte une pauvre victime, prise dans les pièges,
chantages, perspectives, bosquets à musique, et autres
cruautés atroces du Versailles de Louis XIV. On se la
représente volontiers sous l'apparence d'un gibier qui boite
et qui saigne d'une aile au milieu des joyeux tintamarres
d'une chasse à courre. Ce qui frappe, c'est le cortège de luxe,
de spectacles, de festins, de carrosses et de belles dames
qui éclabousse cette amoureuse, se moque de sa douleur
et finalement l'écrase.

Il ne faisait pas bon aimer et dépenser les richesses du cœur dans cette effrayante machine de grandes eaux et de crasse.

Peut-être, à vingt-deux ans, le Roi devinait-il que l'amour existe et n'avait-il pas encore adopté l'armure de boucles, de satin, de velours et d'ordres, propres à le protéger contre ses flèches et, en somme, contre tout ce qui dérange un vrai monarque. Le Roi se devait de donner à ses caprices un style correspondant aux conseils de Bossuet ou de Bourdaloue. Madame, puis, Madame de Montespan sont des vedettes dignes d'un décor que dresse Louis XIV pour y interpréter son propre rôle. La petite figurante sera vite reléguée dans l'ombre d'où elle était venue. Elle insistera. Elle pleurera. Elle s'éloignera. Elle supportera toutes les hontes. Enfin, elle s'enterrera vivante, à la Trappe des femmes — les Carmélites du faubourg Saint-Jacques — et deviendra Sœur de la Miséricorde. Bon débarras, à ce qu'il semble. Le Roi s'était donné la preuve qu'on le pouvait aimer pour lui-même. Il n'en douterait plus lorsque son âge allait rendre ce doute légitime. Il est possible que la pauvre Louise ait été pour quelque chose dans l'assurance et l'orgueil sans taches qui firent de Louis XIV le modèle du genre, c'est-à-dire un chef-d'œuvre monumental du contentement de soi.

Reines de la France (Extrait).

Beethoven parle de la "science" de l'art "(Dans une lettre à son éditeur sur ... "Fidelio") je comprendrait ici de parler d'un "art de la science" qui marque la fin du divorce entre les savants et les poètes.

Une preuve que le temps n'est qu'une piperie c'est qu'un véhicule, parvenant à quitter son système et à s'introduire dans le nôtre, verrait notre poussière atomique devenir mondes, et ses propres mondes devenir atome derrière sa fuite. S'il retourne à son système, il devrait y retourner plusieurs milliers de siècles après son départ. Mais, je l'ai déjà dit, en réintégrant son système, la perspective change, et il se produira cette bascule que, malgré les siècles écoulés depuis son départ, il se posera sur son monde après le temps normal de son voyage. Par contre, si certains appareils lui permettent d'observer nos mondes de son habitacle et de près, ce *près* demeurera un *loin* et il ne les verra plus que sous forme d'atome et d'autobombardement continuel. C'est pourquoi l'homme porte en lui, assez confuses, les notions de l'immédiat et de la durée dont il éprouve les malaises et les contradictions sans en démêler la cause.

Le temps jouera le rôle attribué à l'espace et redeviendra le temps du voyageur comme sa maison lorsque l'avion se rapproche du sol redeviendrait sa maison, ayant cessé de l'être pour sa vue (que seul son esprit corrige), et cette maison, durant qu'elle a cessé de l'être pendant qu'il monte dans les airs, n'ayant point cessé d'être une maison, pour ceux qui l'habitent et qui l'y attendent.

Comprenne qui pourra. Ce qui empêche de comprendre, c'est que c'est trop simple. L'homme complique tout par l'effet d'un départ du pied gauche. Sans doute l'insoluble lui apparaîtrait-il soluble s'il était, par une chance qu'il n'a pas eue, parti du pied droit.

J'ai déjà noté le phénomène qui semble différencier le temps et l'espace, alors que les choses dont nous nous éloignons dans l'espace rapetissent, alors que grandissent jusqu'à l'apothéose historique ou mythologique, les choses qui s'éloignent de nous dans le temps. Mais ce temps n'est qu'une forme de l'espace, une de ces distances qui nous bernent. La possession des choses que le temps éloigne de nous étant plus réelle en notre esprit que la possession des choses qui nous appartiennent ou que nous imaginons nous appartenir dans l'espace. L'objet que je touche (que j'enregistre sans y attacher l'importance qu'on attache à un bien perdu) ayant moins de relief que l'objet perdu que je retrouve par le recul et par les alchimies synthétiques de la mémoire.

Il est du reste possible d'envisager que nous ne sommes peut-être même pas dans un système d'atomes, mais sur la parcelle d'une explosion de la cellule d'un tel système, explosion qui expliquerait le recul vertigineux des astres qui s'éloignent de la terre et que les astronomes observent (le loin où ils les observent nous concernant encore et permettant de constater l'éloignement explosif auquel nous croyons échapper faute de points de repère et grâce à une vitesse de projection d'ensemble qui n'aurait rien à voir avec le mécanisme des orbes célestes). J'ajoute que cette explosion n'a peut-être pas eu lieu, mais qu'elle *a lieu* ; ce qui nous paraît stable parce que nous ne pourrions en constater le vertige explosif que sous l'angle d'une de ces distances inconcevables à l'homme, vertige qui n'exclut pas un mécanisme gravitoire de force acquise.

Journal d'un inconnu (Extrait).

Les chiffres impairs et secrets de flamenco ou de la corrida, employés dans un poème.

Je ne le prétends pas qu'un jour ma plume atteigne
Au bien dit que l'époque accuse d'être vain
Que je trouve en mon cœur les chiffres de Montaigne
Et la porte d'orgueil par où Malherbe vint.

Je me flatte pourtant de suivre leur exemple
Car à la platitude anonyme d'un mur
Feinte simplicité je reconnais le temple
Du soleil noir prié dans votre clair-obscur.

Tantôt j'observerai le dogme de vos rites
Tantôt je me réserve un droit oraculeux
Et sans du seul bien dit atteindre les mérites
Ses prêtres je respecte et me range auprès d'eux.

Je ne le prétends pas...

Extrêmement se perdre aux bornes de soi-même
Grâce au fil qui nous fut donné
Aboutira peu loin mais c'est le seul extrême
Permis par un monde borné.

Si dans sa propre nuit le voyageur s'enfonce
Il n'en peut atteindre le bout.
Un sphinx garde la porte et ne donne réponse
Autre que ses yeux de hibou.

Extrêmement...

Cheval né du sang de Méduse
Me prendrez-vous sur votre dos ?
Me conduirez-vous où l'on use
Des nombres en chair et en os ?

Sauvage, nourri d'immortelles,
Votre œil inspecte de côté.
Brusquement vous giflez d'une aile
Le visage de la beauté.

Cheval né du sang...

Fleur de l'aridité sur de hautes échasses
Enjambe l'avenir te rendant sa monnaie
De singe ses messes hautes ses messes basses
La seule riche d'or en sequins que tu n'aies.

Gais truands sur le roc et la plus élégante
Des familles d'une cour aux nobles grimaces
La grande main de fer d'Espagne dégantée
Sauvant les condamnés à mort par contumace.

Un sac de ville incendiée où manque l'eau
Des soifs il y fallait en silence descendre
Et toi dans l'autre sac d'avoine sur ton dos
Ta mère se brûlant renaissant de ses cendres.

Cet hommage au Prado je l'écrivais inapte
Au pittoresque et ton sourire vif nageant
Avec grâce parmi les ondes que tu captes
Dans l'andalou filet d'une morve d'argent.

Hommage à Goya.

*Gomez m'avait dédié
son taureau. La montera
sur mes genoux me fut
l'objet témoin
qui m'identifiait au
spectacle.*

La singularité d'une corrida ne vient-elle pas de ce que son principe même est inconcevable ? Quoi ! On exige d'un animal qu'il défende une cause perdue sous prétexte qu'il ne la sait pas perdue d'avance. On l'élève pour être dupe. Dès qu'il entre sur la piste, la lumière l'aveugle, et il se demande à juste titre où il est. Déjà le torero s'est débarrassé de sa somptueuse chasuble sur un des balcons d'ombre de la plaza, mais, dépouillé de cet ornement sacerdotal, il reste fleur, et nos tristes modes n'ont pu défleurir son costume (nous vîmes la dernière chasuble blanche à roses écarlates de Manolete chez le célèbre réjonéador, maire de Yerez, Alvaro Domecq).

Ensuite et loin, des hommes agitent des capes vers lesquelles le taureau fonce. Déjà ces guignols lui font la farce de disparaître et, parfois, de l'intriguer par un bout de cape qui dépasse de la cachette, par une preuve de présence humaine. Je n'ai donc pas rêvé, pense le taureau, et il se détourne, lorsqu'il aperçoit une autre cape lointaine qui s'agite. (Notons que la couleur de cette cape ne joue aucun rôle. Il suffit qu'elle s'agite, et la naïveté de la Société Protectrice des Animaux anglaise fut extrême, lorsqu'elle exigeait que les courses substituassent à la muleta rouge une muleta verte. On remarquera, d'ailleurs, que les valets de piste en chemise rouge se dépensent, invisibles, autour des manœuvres du picador.) Le taureau va se heurter à une deuxième farce. La troisième et la quatrième le pipent encore mieux, car l'adversaire reste visible, mais le souvenir des rideaux fantômes le jette contre une étoffe vide derrière laquelle il suppose que l'homme se cache comme derrière les planches. Malheur à l'homme qui ne s'escamote pas assez vite. J'ai vu à Séville Miguel Angel, agenouillé, encorné en pleine bouche par trop de hâte à braver le sort. Cette fois, on ne trompe plus la bête. On lui présente un cheval, un vrai cheval. Voilà de la chair fraîche recouverte de vieilles housses. Voilà une brave Rossinante. Voilà de quoi découdre. Mais la farce s'aggrave. Pendant que le taureau défonce les housses et brise des côtes innocentes, le picador lui enfonce neuf centimètres de pique et creuse une blessure d'où sa force s'écoule et dont une dame dira : « C'est un trou pour mettre les banderilles » (sic). Des fleurs dans un vase, tout simplement.

La farce des banderilles sera moins douloureuse, mais les cibles de satin et d'or qui dansent devant la bête s'escamotent après l'avoir décorée d'un féroce bouquet de roses trémières (sauf si l'homme n'escalade pas la barrière assez vite, car l'adversaire commence à soupçonner qu'on le berne).

J'observe cette apparence de piano cabré, pareil au phantasme sorti de quelque substance hallucinatoire, piano à queue et à candélabres avec l'atroce clavier du cheval aveugle qu'on étripe, se complétant non seulement par les cornes d'un pupitre en forme de lyre et par les petits pieds des pédales, mais encore par la folle chevelure de quelque abbé Liszt plantant furieusement les banderilles de ses doigts dans une échine luisante au chevalin rire atroce d'un râtelier de vieil ivoire.

Horreur. Après un tel désordre, je me domine et m'accroche à l'épave d'une réalité guère plus rassurante que je cherche sur les figures distraites de mes voisins. Notre époque de radio, de télévision, de magazine est une école d'inattention. On y enseigne à regarder sans voir, à écouter sans entendre.

Le corps en arc de cercle, la poitrine offerte, les escarpins traînant sur le sable, la muleta basse, pareille à une traîne de cour, le torero brave à présent l'ambassadeur avec superbe : « Ho, ho, toro ! ». La bête, immobile et comme médusée, écoute. Elle regarde l'étrange provocateur. C'est alors que se présente le chef qui charme, qui commande, qui parle et qui parfois s'imagine entendre une réponse (la chose advint à Joselito jusqu'à lui faire prendre la fuite), la démarche liturgique du prêtre. Il commence la faena — suite de passes où le cercle des arènes va se réduire autour du couple jusqu'à ne plus être qu'un anneau nuptial. La pauvre dupe comprendra le leurre et s'y soumettra comme une victime exigée par l'oracle grec.

D'où vient qu'un sort iphigéniste ne révolte personne ? D'où vient que nos nerfs l'acceptent et que tout un peuple y souscrive ? Ce ne pourrait être, si, pour employer une expression commune et opportune, la pauvre bête n'en avait « plein le dos ». Ce ne pourrait être sans un secret qui sacre un crime en rite et le transcende, secret que la course du premier mai m'a chuchoté à l'oreille.

La Corrida du 1er mai (Extrait).

Après mon élection à l'académie de Berlin, à l'académie Royale de Belgique, à l'académie Française, Oxford me nomme docteur Honoris Causa.

L'académie américaine allait suivre. après la raclée de coups de bâton une raclée d'honneurs me tombe sur les épaules .

Nul n'ignore plus que la poésie est une solitude effrayante, une malédiction de naissance, une maladie de l'âme. Mais, chose étrange, il semble que cette maladie soit contagieuse, car jamais il n'y eut autant de poètes ou du moins d'écrivains qui se veulent poètes et profitent d'une débâcle du style et des règles pour tâcher de croire qu'ils le sont et de le faire croire aux autres.

Comment expliquer que tant de jeunes confondent l'organisme que doit être un poème avec une simple allure poétique et ignorent l'A B C de la poésie, c'est à savoir qu'en vertu de phénomènes auxquels j'ai fait allusion en prenant la parole, l'invisibilité d'une discipline ne l'empêche pas d'être présente. La poésie est à l'inverse de ce que les gens estiment être poétique. Elle est une arme secrète. Une arme dangereuse, précise, au tir rapide et qui parfois ne touche son but qu'à des distances incalculables.

La poésie, au lieu d'orner de vocables certaines idées, puise sa pensée dans les vocables. Elle trouve d'abord et cherche après. Elle est la proie de l'exégèse qui est sans conteste une muse puisqu'il lui arrive de traduire en clair nos codes, d'éclairer nos propres ténèbres et de nous renseigner sur ce que nous ne savions pas avoir dit.

D'où vient, je le répète, que tant de jeunes se laissent prendre à l'allure poétique et s'imaginent que la poésie consiste à s'exprimer en lignes inégales, alors qu'elle est un idiome, une langue à part, que les peuples confondent avec une certaine manière cocasse d'employer le leur ?

Notre époque est la fautive, époque d'égocentrisme et de hâte où chacun prononce la phrase de Louis XIV : « J'ai failli attendre. »

Toute belle œuvre est écrite à la main et résulte d'une longue attente. Tout beau parcours d'une vie se fait à pied sur le rythme de Gœthe allant de Weimar à Rome. Mais la hâte tourne les têtes chaudes. La jeunesse ouvrière abandonne l'artisanat pour l'usine, et, chez les artistes, la jeunesse se fatigue de la route nationale. Elle se décourage, dépassée par les grosses voitures qui l'aspergent de lumière et de boue. Elle cède et demande l'aumône. Elle se livre à la pantomime de l'auto-stop moral qui n'est autre qu'une manière désinvolte de tendre la main et de mendier un peu de vitesse et de luxe.

Le poète qui accepte de poursuivre la route à pied jusqu'au bout devient une victime de la société, qui l'expulse comme indésirable. Il dérange. Il est considéré comme un flâneur contre qui se heurte une foule où chacun s'imagine savoir où il va. Il est un ordre en forme de désordre. Un aristocrate à figure d'anarchiste. Un empêcheur de danser en rond.

Discours d'Oxford (Extrait).

Chronologie

1889　Jean Cocteau est né place Sully, à Maisons-Laffitte (S.-et-O.), le 5 juillet 1889.

1899　Mort de son père, Georges Cocteau. Études au Lycée Condorcet, à Paris, où il habite avec sa mère (née Eugénie Lecomte), son frère Paul et sa sœur Marthe, chez ses grands-parents, 45, rue La Bruyère. École buissonnière. Émerveillements et villégiatures des fils de la bourgeoisie du début du siècle. Se passionne pour le théâtre. Premiers vers (désavoués plus tard).

1906　La séance de poésie organisée pour lui au Théâtre Femina par de Max lui vaut une précoce célébrité. - Fonde une revue, *Shéhérazade*, avec Maurice Rostand et François Bernouard. - Fréquente les milieux artistiques et mondains, les personnalités les plus cultivées de la capitale : Catulle Mendès, Edmond Rostand, Lucien Daudet, Jules Lemaître, Anna de Noailles, Marcel Proust. Se lie avec Alain Fournier, Charles Péguy, François Mauriac, Claude Casimir-Périer. (v. *Portraits-Souvenir*).

1912　Jean Cocteau, qui vit chez sa mère, 10, rue d'Anjou, loue une aile de l'hôtel Biron, rue de Varenne, où habite Rodin. - Rencontre de Gide et Ghéon, qui viennent d'écrire un article sur lui dans la N.R.F. ; de Serge de Diaghilew, dont les Ballets Russes enchantent Paris ; de Igor Stravinsky, qui travaille au « Sacre du Printemps ». Leur exemple l'incite à rompre avec la poésie conventionnelle.

1913　Première du « Sacre » (29 mai) : énorme scandale. Jean Cocteau accompagne Stravinsky à Leysin (Suisse). Il y achève *Le Potomak*, commencé en 1912, à Offranville, chez Jacques-Émile Blanche et sous l'œil de Gide.

1915　Réformé. Gagne le front à titre d'ambulancier civil. Se fait adopter par les fusiliers marins à Nieuport (voir *Thomas l'Imposteur*). Commence *Discours du Grand Sommeil*. Découvert à la suite d'une proposition pour la croix de guerre. Versé comme auxiliaire à Paris, 22e section, puis à la propagande. Se lie avec Roland Garros, participe à ses vols acrobatiques, lui dédie *Le Cap de Bonne-Espérance*. - Rencontre d'Erik Satie (ébauche de *Parade*) et de Paul Morand.

1916　Collabore au « Mot » de Georges Iribe, signe ses premiers dessins du nom de son chien : « Jim ». - Hante Montparnasse avec Modigliani, Apollinaire, Max Jacob, Paul Reverdy, André Salmon, Blaise Cendrars. - Fait la connaissance de Pablo Picasso, qu'il emmène chez Diaghilew.

1917　Première de *Parade* au Châtelet. Scandalise les « conservateurs ». La foule menace les auteurs.

1918　11 novembre : mort d'Apollinaire. - Fonde avec Cendrars les Éditions de la Sirène où paraît *Le Coq et l'Arlequin*, qui le brouille avec Stravinsky. - Séances musicales et poétiques avec les jeunes musiciens (futur Groupe des six) au 6 de la rue Huygens. - Jazz au bar Gaya, rue Duphot.

1919　Rencontre de Raymond Radiguet chez Max Jacob. - Chronique artistique à « Paris-Midi » (11 mars - 11 août).

1920　*Le Bœuf sur le Toit* (21 février).

1921　*Les Mariés de la Tour Eiffel* (18 juin). Scandalise les « modernistes » - Séjourne avec Radiguet, au Piquey (Bassin d'Arcachon) : *Le Secret Professionnel.*

1922　Séjour à Pramousquier (Cap Nègre) : *Le Grand Écart, Plain Chant* et *Thomas l'Imposteur.*

1923　Mort de Radiguet (13 décembre).

1924　Période de dépression : recourt à l'opium. Diaghilew l'emmène à Monte-Carlo.

1925　Première cure de désintoxication conseillée par Jacques Maritain et Paul Reverdy (Clinique des Thermes). - Séjours à Villefranche-sur-Mer (Hôtel Welcome). Rencontre de Christian Bérard - Poèmes d'*Opéra, L'Ange Heurtebise* - Correspondance avec Maritain (octobre). Termine *Orphée* (27 septembre). Se réconcilie avec Stravinsky. Se brouille avec les surréalistes.

1926　Première d'*Orphée* (17 juin). - Rencontre de Desbordes (25 décembre).

1928　Sa préface à « J'adore » de Desbordes, scandalise les milieux catholiques. - Clinique de St-Cloud (16 décembre 1928 - avril 1929).

1929　Lecture de *La Voix Humaine* à la Comédie-Française. - Rédaction et dessins d'*Opium*. En trois semaines (mars), écrit *Les Enfants Terribles.*

1931　S'installe au 10, rue Vignon. - Entreprend *Le Sang d'un poète.* - Tombe gravement malade à Toulon.

1932　Saint-Mandrier : termine *La Machine Infernale.* - Paris : dessins, chansons, ébauche des *Chevaliers de la Table Ronde.* Écrit *Essai de Critique Indirecte.* Période d'inquiétude.

1933　Quitte la rue Vignon. - Rédige et termine les *Chevaliers* en Suisse, chez Igor Markévitch.

1934　Au « Figaro » : *Portraits-souvenir.* - Première de *La Machine Infernale* (avril).

1936　A la suite d'un pari avec « France-Soir », effectue un *Tour du Monde en 80 jours*, en compagnie de Kill. En route, se lie avec Charlie Chaplin.

1937　Chronique régulière à « Ce Soir » (mars 37 à mars 38). Aide le boxeur Al Brown, jugé « fini », à reconquérir son titre de champion du monde. - Débuts de Jean Marais dans *Œdipe-Roi* et *Chevaliers de la Table ronde* (14 octobre).

1938　Écrit *Les Parents Terribles* dans un hôtel de Montargis. - Refusée par Jouvet, jouée aux Ambassadeurs (14 nov.), jugée scandaleuse par le Conseil Municipal, la pièce émigre aux Bouffes - Parisiens et connaît le plus grand succès.

1939 Au Piquey : *La Fin du Potomak* (avril), terminé dans le Périgord. - Écrit *Les Monstres Sacrés* pour Yvonne de Bray.

1940 L'exode. Termine à Perpignan *La Machine à Écrire*. Retour à Paris, Hôtel de Beaujolais.

1941 S'installe au Palais-Royal, 36, rue de Montpensier. - *La Machine à écrire* et *Les Parents Terribles* interdits. - Articles pour « Comœdia » (v. *Foyer des Artistes*). - Termine *Renaud et Armide* (27 août). - Est l'objet, jusqu'à la fin de la guerre d'une campagne haineuse. - Victime d'une agression par des membres de la L.V.F., av. des Champs-Élysées, pour avoir refusé de saluer leur drapeau.

1942 *L'Éternel Retour*. - Témoigne en Cour de Justice pour Jean Genêt.

1944 Termine *Léone*.

1945 *La Belle et la Bête*.

1946 *L'Aigle à deux têtes*. - Termine *La Difficulté d'être*, à Verrières (juillet), et *La Crucifixion*.

1947 S'installe à Milly-la-Forêt (S.-et-O.). - Entreprend le film *Orphée*.

1948 Tapisseries d'Aubusson (« Judith et Holopherne »).

1949 Voyage aux États-Unis (janvier) : rédige en avion la *Lettre aux Américains*. - Tournée de théâtre au Moyen-Orient (6 mars-24 mai), (voir *Maalesh*).

1950 Décore la Villa Santo Sospir (Saint-Jean-Cap-Ferrat).

1951 Termine *Bacchus* à bord de l'*Orphée II* (juillet). - La pièce fait scandale. Controverse avec Mauriac.

1952 Termine *Journal d'un Inconnu* (février) et *Le Chiffre Sept* (septembre), à St-Jean-Cap-Ferrat.

1953 Poèmes de *Clair-Obscur*. Voyage en Espagne : tombe malade. Rédige pendant sa convalescence *La Corrida du Premier Mai*.

1955 Entre à l'Académie Française (20 octobre) et à l'Académie Royale de Belgique (1er octobre).

1956 Promu Dr. *Honoris Causa* par l'Université d'Oxford (12 juin). - Entreprend les fresques de la Mairie de Menton et de la Chapelle St-Pierre à Villefranche-sur-mer.

1963 11 octobre, mort de Jean Cocteau, à Milly-la-Forêt.

Jean Cocteau était Commandeur de la Légion d'Honneur - Membre de l'Académie Mallarmé - Académie d'Allemagne (Berlin) - Académie Américaine - Académie Mark Twain (U.S.A.) - Président d'Honneur du Festival de Cannes - Président d'Honneur de l'Association France-Hongrie - Président de l'Académie de Jazz et de l'Académie du Disque.

Bibliographie

POÉSIE

1927 *Opéra, œuvres poétiques* 1925-1927. Stock 12 F, sur Japon 24 F.
1932 *Morceaux choisis, Poèmes* Gallimard épuisé.
1941 *Allégories* Gallimard.
1945 *Choix de poèmes* (précédé d'une étude par R. Lannes) Seghers coll. « Poètes d'aujourd'hui » 7,10 F.
1951 *Anthologie poétique* (ill. par l'auteur) *Gallimard* relié 19 F.
1952 *Le Chiffre sept* Seghers 8 F.
1953 *Appogiatures* Éditions du Rocher 6 F.
1954 *Clair-obscur* Éditions du Rocher 6 F.
       Démarche d'un poète (ill. par l'auteur) Sabri 16 F.
1956 *Poèmes 1916-1955* Gallimard 9,70 F.
1958 *Paraprosodies* Éditions du Rocher 2,70 F. sur lafuma 7,50 F.
1959 *Poésie critique* 2 vol. Gallimard, I 11 F, II 9,50 F.
1960 *De la brouille* Éditions Dynamo à Liège, vélin 28 F. Hollande 60 F.
1961 *Cérémonial espagnol, du Phœnix, suivi de la Partie d'échecs (Poèmes)* Gallimard
...   5 F. pur fil 20 F, Hollande 40 F.
1962 *Le Requiem* Gallimard 16 F.

DISQUES

Poèmes de Jean Cocteau, dits par l'auteur. — *L'ange Heurtebise* — *Le buste* — *Le Théâtre grec* — *Nuit blanche ou pigeon terreur* — *A l'encre bleue* — *Martingale* — *No man's land* — *Le modèle des dormeurs* — *Les voleurs d'enfants* — *Le théâtre de Jean Cocteau* — *Hommage à Manolete* — *Quel est cet étranger ? Portrait de Paul Eluard sur son lit de mort* — *Visite* (La Voix de son Maître, FFLP 1048, 33 t. 25 cm).

Un ami dort, poème lu par Serge Reggiani (Philips, coll. « Auteurs du XXe siècle », A 76. 715, R/A 25).

Discours de réception à l'Académie Française (La Voix de son Maître, FELP 143, 33 t., 30 cm.) *Parade* (suite d'orchestre par Erick Satie, Columbia FCX-357, 30 cm).

Le bœuf sur le toit (suite d'orchestre par Darius Milhaud, Capitol F 8244, 30 cm).

La voix humaine (par Berthe Bovy, Columbia — Par Gaby Morlay, Decca, FMT 163-622.

Discours du Sphinx. La machine infernale (par Jean Cocteau et Jean-Pierre Aumont. Ultraphone)

Le fils de l'air (par Jean Cocteau. Ultraphone).

Anna la Bonne — *La dame de Monte-Carlo* (par Marianne Oswald. Columbia FS — 1026, 25 cm).

Le Bel indifférent, (par Edith Piaf, Columbia FS-1021, 25 cm).

Phèdre (suite symphonique par Georges Auric. Columbia FCX — 265, 30 cm.)

Œdipus rex (Opéra oratorio, paroles de Jean Cocteau, musique de Igor Stravinsky, Philips, A 0 1137 L/A 30.)

Bacchus (Acte II sc. IV et VI par J.-L. Barrault et J. Desailly. Philips coll. « Auteurs du XXe siècle, A 76 715 R/A 25.)

POÉSIE DE ROMAN

1923   *Thomas l'Imposteur* Gallimard 6 F. Coll. « Le livre de poche » 2 F.
        Le Grand Ecart Stock 6 F. Club des Éditeurs avec *La Voix Humaine* 10,20 F.
1924   *Le Potomack* 1913-1914 précédé d'un prospectus 1916, texte définitif. Stock 6 F.
1929   *Les enfants terribles* Grasset 6,60 F, coll. « B. 24 » 9,63 F. Coll. « Le livre de poche », 2 F.
1939   *La fin du Potomak* Gallimard épuisé.
1947   *Deux travestis* Fournier, Office central d'ouvrages 7,50 F.
1955   *Aux confins de la Chine* (ill. par Lou Albert Lasard). Coll. d'art. Caractères.

POÉSIE DE THÉÂTRE

1927   *Orphée* Stock 9,30 F.
1928   *Œdipe Roi, Roméo et Juliette* Plon. coll. « Le roseau d'or », ill. par l'auteur épuisé.
1930   *La Voix Humaine* Stock épuisé. Club des Éditeurs avec *Le Grand Écart*.
1934   *La Machine Infernale* Grasset (ill. par l'auteur) 7,50 F.
1948   Théâtre : *I Antigone - Les Mariés de la Tour Eiffel - Les Chevaliers de la Table ronde - Les Parents terribles - II Les Monstres sacrés - La Machine à écrire - Renaud et Armide - L'Aigle à deux têtes* Gallimard I. 11,70 F., II. 14 F.
1949   *Nouveau Théâtre de poche* Éditions du Rocher (ill. par l'auteur) 6,90 F.
1952   *Bacchus* Gallimard 7 F. cartonné 14,50 F.
1955   *Les Parents terribles* coll. « Le livre de poche » 2 F.
1957   *Théâtre* tomes I et II, comprend également : *Théâtre de poche*, un inédit, *L'épouse injustement soupçonnée* et *Arguments scéniques et chorégraphiques*. *Œdipe Rex, Le jeune homme et la mort, La dame à la licorne* Grasset (ill. par l'auteur) 2 vol. cartonnés 90 F., sur vélin 124,50 F.
1960   *Note sur le Testament d'Orphée* Éditions Dynamo Liège 22 F. et 46 F.
1962   *L'Impromptu du Palais-Royal* Gallimard 4,50 F.

POÉSIE CRITIQUE

1926   *Le rappel à l'ordre - Le coq et l'arlequin - Carte blanche - Visites à Barrès - Le secret professionnel - D'un ordre considéré comme une anarchie - Autour de Thomas l'Imposteur - Picasso.* Stock 5,25 F.
        Lettre à Jacques Maritain Stock, 11,40 F.
1930   *Opium. Journal d'une désintoxication* (ill. par l'auteur) Stock 8,55 F.
1932   *Essai de critique indirecte - Le mystère laïc - Des Beaux-Arts considérés comme un assassinat* Grasset épuisé.
1935   *Portraits-souvenirs* (ill. par l'auteur) Grasset 6 F.
1937   *Mon premier voyage. Tour du monde en 80 jours* Gallimard 7 F.
1946   *La Belle et la Bête, journal d'un film* J. B. Janin épuisé.
1947   *Le foyer des artistes* Plon 6 F.
        La difficulté d'être Éditions du Rocher, 7,50 F.
1948   *Reines de France* Grasset 6 F. sur alfa 6,90 F, sur pur fil 13,80 F.
1949   *Lettre aux américains* Grasset 6 F.
        Maalesh, journal d'une tournée de théâtre Gallimard 7 F.
1950   *Modigliani* Hazan épuisé.
1951   *Jean Marais* (ill. par l'auteur) Calmann-Lévy 4,50 F.
1952   *Journal d'un inconnu* Grasset 6 F.
1955   *Colette. Discours de réception à l'Académie Royale de Belgique* Grasset 6 F.
        Discours de réception à l'Académie Française Gallimard 4 F.
1956   *Le Discours d'Oxford* Gallimard 2 F.
1957   *La corrida du premier mai* Grasset 6,30 F., sur alfa 9,90 F., sur pur fil 19,80F.
1962   *Le Cordon ombilical* Plon épuisé.

POÉSIE GRAPHIQUE

1925   *Le mystère de Jean l'Oiseleur* Champion épuisé.
1926   *Maison de santé* Briant.
1934   *Soixante dessins pour les Enfants terribles* Grasset épuisé.
1941   *Drôle de ménage* Éditions du Rocher, 12,50 F. sur vélin, 18 F.
1957   *Chapelle Saint-Pierre de Villefranche-sur-mer* (31 reproductions de fresques) Éditions du Rocher 9,60 F. F. Mourlot 600 F., 900 F., 2 500 F.
1958   *La salle des mariages de l'Hôtel-de-Ville de Menton* (22 reproductions des fresques) Éditions du Rocher 9,60 F.
1960   *La chapelle de Saint-Blaise des Simpes à Milly-la-Forêt* (26 reproductions des fresques) Éditions du Rocher 6,90 F.

POÉSIE CINÉMATOGRAPHIQUE

1947   *Ruy Blas* (film 1947). Texte de l'adaptation, Éditions du Rocher.
1948   *Le sang d'un poète* (film 1932) scénario, ill. de 50 photographies, Éditions du Rocher 5,40 F., sur lafuma 24 F.
      L'Éternel retour (film 1943) scénario et photographies, Nouvelles Éditions Françaises.
1949   *Les parents terribles* (film 1948) scénario et photographies, Le Monde illustré.
1951   *Orphée* (film 1949), scénario et photographies, A. Bonne.
1951   *Entretien autour du cinématographe* recueillis par André Fraigneau, A. Bonne.
1958   *La Belle et la Bête* Éditions du Rocher, 11,10 F, relié 18,60, sur lafuma 36 F.
1959   *Le Testament d'Orphée* Éditions du Rocher 19,50 F, pur fil 59 F.

A CONSULTER

H. PARISOT, *Jean Cocteau*, choix de poèmes, études de R. Lannes, Seghers, Paris, 1952.
J. DUBOURG, *Dramaturgie de Jean Cocteau*, Grasset, Paris, 1954, nº 94 (octobre 1955). de la revue La Table Ronde, consacré à Jean Cocteau.
J. P. MILLECAM, *L'étoile de Jean Cocteau*, Édition du Rocher, 1952.
BONALUMI, *Images de Cocteau* Matarasso, 1957.
J. DANNEN, *Jean Cocteau chez les sirènes* Éditions du Rocher, 1956.
CL. MAURIAC, *Jean Cocteau ou la vérité du mensonge* O. C. O., 1956.
M. MEUNIER, *Méditerranée ou les deux visages de Cocteau* Debresse, 1959.
J.-J. KHIM, *Cocteau*, coll. « Bibliothèque idéale » Gallimard, 1960.
J. PILLAUDIN, *Jean Cocteau tourne son dernier film « Journal du Testament d'Orphée »*, Éditions de la Table Ronde, 1960.

Table

« *Un Autre nous-même...* » 5

« *Le fil à plomb comme moyen de locomotion* ». 19

« *La vivacité blanche* » 41

« *L'appartement des énigmes* ». 61

« *La difficulté d'être* » 89

« *Mon Invisibilité* ». 111

« *J'emporterais le feu* » 125

Anthologie 137

Chronologie 185

Bibliographie 189

Notes sur les illustrations 192

CE LIVRE, LE QUARANTE ET UNIÈME DE LA COLLECTION « ÉCRIVAINS DE TOUJOURS »
DIRIGÉE PAR MONIQUE NATHAN, A ÉTÉ RÉALISÉ PAR FRANÇOISE BORIN.

Nous remercions Louis Bonalumi d'avoir bien voulu établir la Chronologie et la Bibliographie.

Gisèle Freund : pp. 2 et 3 cv, 4, 12. Man Ray : pp. 15, 40. Rigal : p. 50.
Ringart : p. 73. Rose Pullmann : p. 110. Lartigue : p. 115. Robert Randail :
p. 132. Kehren : p. 135. André Villers : pp. 123, 136. Bencque et Cie : p. 184.
Nick : p. 188. Soleil : p. 130. Roger Wood : p. 119. Lipnitzki : pp. 64, 83.
Bernand : pp. 77, 92. Roger Viollet : p. 103. Giraudon : p. 68. Cahiers du
Cinéma : pp. 62, 63. Radio-Cinéma : pp. 78, 90, 94. Cinémathèque Française :
p. 95. Discifilm : p. 101. Associated Press : p. 114. Felicitas : p. I de cv. La
photo des pages 34-35 est extraite de l'album-programme de l'Opéra.
Keystone : pp. 121, 135, 188.
Les dessins sont extraits de différents ouvrages de Cocteau : pp. 20, 25,
56, 70, 107 : *Portraits Souvenir* ; pp. 23, 38 : *Album de Dessins* ; p. 26 :
Le Potomak ; p. 58 : *Les Enfants Terribles* ; p. 66 : *Dessins pour les Chevaliers
de la Table Ronde* ; p. 59 : *Opium.*

ACHEVÉ D'IMPRIMER EN 1966 PAR L'IMPRIMERIE TARDY A BOURGES
D. L. 4e trim. 1957. - 873.5 (2597)